産経NF文庫
ノンフィクション

プーチンとロシア人

木村 汎

潮書房光人新社

はじめに
——プーチンを知る必要性——

ロシア——実力を上回る存在感

今日の国際政治——。複雑多岐かつ一刻一刻めまぐるしい変化を見せている。とうてい単純、直截な分析になじむ類いの現象ではない。そのことを十分承知したうえで、あえてそのダイナミックな動きに影響をあたえる人物を一人あげよ——こう問われるならば、それは、ウラジーミル・プーチンと言って、まず間違いないのではなかろうか。

これは本書の著者である私個人がたまたまロシア研究者であるがための我田引水ではない。たとえば『タイム』、『ニューズウィーク』、『フォーブス』、『フォーリン・ポリシー』といった世界の主要誌の見方なのである。彼らが「国際政治でもっとも大きな影響力をもつ人間」ないしは「今年の人（パーソン・オブ・ザ・イヤー）」を選んで特集を組むとき、ここ数年第一位に選ばれるのは、決まってプーチン・ロシア大統領なのだ。

これは、つぎの意味ではまったく解せないことではないか。というのも、プーチン大統領が属しているロシア連邦それ自体は、必ずしも世界第一の超大国とはみなしえない存在だからである。旧ソ連邦は、ゴルバチョフが敢行した「ペレストロイカ（立て直し）」、「グラースノスチ（情報公開）」、「新しい政治思考」のもとに、東・中欧「衛星」圏を失ってしまった。ついで登場したエリツィンによってソ連邦自体は解体させられ、その結果としてロシアは一五の「独立国家共同体（ＣＩＳ）」のうちのたんなる一国家に過ぎなくなった。たしかにロシアは、そのなかでは最大の国家として事実上、ソ連邦の継承国にはなった。とはいえ、たとえば国土面積でいうと、ロシア連邦は旧ソ連邦の約七六％、人口では約半分のサイズへと縮小した。しかも、ロシアは、その後に経験せねばならなかった種々様々な混乱や苦悩――たとえば経済的な困窮――によって、米国と並び称されていた超大国の座から滑り落ちた。結果として、バラク・オバマ前米大統領によって、たんなる「地域パワー（リージョナル）」に過ぎないと揶揄（やゆ）される存在にすら甘んじなければならぬ羽目になった。

ところが、である。ごく最近の国際政治の現状を注視してみよう。ウクライナ紛争、シリア内戦、北朝鮮の核保有化……等々。これらの動きを決するに際してキャスティング・ボードを有し、その命運を左右する決定権を有する――いまや、そのような影響力をもつかのように思えるのはロシアではなかろうか。いや、より正確にいうと、ロシアではなく、その頭領であるプーチンその人ではなかろうか。

なぜならば、国としてのロシアは、さほど大きな存在ではないからである。たしかに核兵器弾道数では依然として米国と並ぶ超大国であるとはいえ、それ以外の指標では各国にくらべ数段見劣りがする。おそらくすべての指標の基礎となる経済力がそうである。というのも、国民総生産（GDP）でロシアは世界一三位に位置しているからである。そうであるにもかかわらず、すでに触れたようにロシアの国際場裡における発言力や影響力は無視しえないまでに大きい。とりわけ、ロシアが「ニエット」（「ノー」にあたるロシア語）と言えば、国際政治はニッチもサッチもゆかなくなる。ロシアは、たとえば国連の安全保障理事会の常任理事国メンバーであり、実にしばしば「拒否権」を発動するからである。

ともあれ、あるロシアの評論家がつぎのようにのべたのも、少なくとも部分的には当たっており、宜(むべ)なるかなと同意せざるをえない。「オバマは超大国たる米国の利害を十分に表明しえない脆弱なリーダーシップの持ち主だった。それとは対照的に、プーチンは彼が所属する国家、ロシアの存在感を実力以上に代弁する強力なリーダーシップの持ち主である」、と。もし右の評論家の観察が当たっているとするならば、われわれとしてはつぎの問いにたいする答えを是非とも知りたい思いに駆られる。すなわち、プーチンは果たしてどのようなやり方ないしはトリックを用いて、国際社会でロシアが実力以上の発言権ないし影響力をもっているかのように見せかけることに成功しているのだろうか。

その理由

右の問いにたいして、まず早速思いつく答えは、プーチン・ロシアが準独裁体制の国であるからだろう。プーチンは、現ロシアで民主主義諸国の指導者たちとはつぎのように異なった独裁的な権力を享受している。たとえば、ほとんど三権分立の原則に制約される必要がないために、プーチンが下す外交政策は即ロシア議会から自動的に承認を受ける。集会、言論、出版などの民主主義的諸権利を制限しているうえに、三大テレビをすべて国営化しているので、プーチン大統領は国民、知識人、マスメディアからの批判をほとんど気にしなくて済む……等々。要するに、プーチンは他国の指導者と違って己の思うがままの対外政策を直ちに実行に移しうる利点に恵まれているのだ。

つぎに、プーチンが長期にわたって政権の座にあり、外交の経験を積んだベテランであること。このことも、当然、国際舞台でのプーチンの発言力を高めることに貢献している。たしかに、プーチンは一時期（二〇〇八～一二年）、ドミートリイ・メドベージェフに大統領の座を譲った。これはロシア憲法が「何人もつづいて二期以上、大統領をつとめえない」と規定しているからだった。ところが、そのプーチンとメドベージェフの「タンデム（双頭）政権」期においても、プーチンは首相として、自分より一三歳年下の忠実な愛弟子、メドベージェフ大統領を操作して、ロシア外交の決定をおこなった。その四年間を含めると、プーチンは何と二〇〇〇年以来、一八年近くにもわたって、ロシアの事実上のトップの座に君臨している。

その間に、その他の国々の大統領、首相、外相たちは、長くて二期八年の任期を終えて、政界をつぎつぎに去って行った。ジョージ・W・ブッシュ、バラク・オバマ、然り。トニー・ブレア、ニコラ・サルコジ、シルビオ・ベルスコーニも、そうである。わが国では、その間、何と八人の総理大臣が交代した（森喜朗、小泉純一郎、安倍晋三、福田康夫、麻生太郎、鳩山由紀夫、菅直人、野田佳彦、安倍晋三）。

しかも、それだけではすまない。プーチンは次期大統領選にも出馬し、当選確実とみなされている。その選挙は二〇一八年三月一八日に実施される。ちょうど四年前の三月一八日は、ウクライナのクリミアをロシアへ併合した日である。プーチン大統領の偉業を思い出して、ロシアの有権者たちが投票所へ赴くように、わざわざ法改正をおこなってまで、この日が投票日に選ばれたのである。

そのようにして当選すれば、プーチンは二〇二四年までさらに六年間、クレムリンの主、そして国際政治の強力な指導者としてとどまることになる。交通事故、病気、暗殺といった万が一の不測の事態が発生しないかぎり、プーチンはそのような人物にとどまるだろう。

もとより、現在六五歳のプーチンは、二〇二四年の退職期には七一歳の高齢者になるので、今後六年間にこれまでのような国際舞台での活躍は、良くも悪くも期待薄かもしれない。とはいえ、同時にプーチンは、晩年に体調をくずし不本意ながら政権を途中で投げ出さざるをえなかったボリス・エリツィン元大統領の先例を反面教師として、体力づくりに余念ないように思われる。そうだとすれば、われわれは、好むと好まざるとにかかわらず、プーチン大統領と今後まだ六年間もつき合ってゆく覚悟を固めねばならないだろう。

だからといって、われわれがプーチン、プーチノクラシー（プーチン式統治）、プーチン外交にいささかも迎合する必要はまったくない。とはいえ他方、プーチンによって国際社会が不必要な程度にまで引っ掻き回されることだけは是非とも阻止せねばならないだろう。では、一体どうすれば、そうならないで済むのか。数々のことが必要であろうが、そのうちのひとつとしてプーチンを知ることと答えうるだろう。平凡ながら、孫子の兵法の教えを守ることである。すなわち、「彼を知りて己を知れば、百戦して殆うからず」。ちなみに、日本外交の数少ない戦略家のひとりだった故岡崎久彦氏によれば、この孫子の有名な言葉は、同義語を繰り返しているという。なぜならば、氏によれば、「敵を知れば、それはすでに己がなすべきことを教えている」からだ。

それはともかく、孫子の教えは〈言うは易く行うは難し〉である。なぜならば、プーチン、とりわけ彼の心中を推し測ることは至難の業だからである。これまた引用するに躊躇するほど手垢のついた言葉とはいえ、プーチンの言動はまさに英宰相ウィンストン・チャーチルがロシアの行動様式についてのべた言葉がぴったり当てはまる。すなわち、ロシアの行動は「謎のなかの謎に包まれた謎」。

プーチンはスフィンクス

プーチンが一九九九年末にエリツィン元大統領によって彼の後継者として正式に指名されたことが報道されたとき、世界中のクレムリノロジストたちは慌てた。不肖、私もその例外ではなかった。というのも、ソ連で出版されていた浩瀚な人名辞典のどれを開いてみても、ウラジーミル・ウラジミーロビッチ・プーチン（当時、四七歳）についての情報をまったく見つけえなかったからだった。したがって、専門家たちも異口同音に尋ねた。「プーチンって、一体、誰？（Mr.Putin, Who?）」。

このような事情のために、当時ロシア専門家たちは苦し紛れにプーチンにつぎのようなレッテルを貼って、当分の間、お茶を濁すことにした。プーチンは、「どこから来たのかまったく分からない男」、「顔のない人間」、「白紙（ブランク）のペーパー」、「ブラック・ボックス（中身の分からない箱）」……等々。評論家、ロイ・メドベージェフにいたっては、プーチンを論じた自著にずばり『プーチンの謎』というタイトルをつけた。

プーチンが「謎の人物」、もしくは「政治的スフィンクス」（ロシアの政治学者、リリヤ・シェフツォワ）とみなされるのは、彼が自分について多くを語りたがらない事実にもとづく。二〇一三年に正式離婚するまで、少なくとも形のうえで三〇年近くもプーチン夫人だったリュドミーラ・アレクサンドロブナは、プーチンのそのような一面をつぎのように語った。

「ボロージャ（プーチンの名前、ウラジーミルの愛称）は、自分についての情報を進んであたえようとするタイプの人間ではまったくありません」。

　自分について一切語ろうとしない。プーチンのこの性向はひょっとすると生まれつきのものだったのかもしれないが、同時に彼が受けたKGBの特殊訓練によってさらに助長された。こうみなして、差し支えないだろう。思うに、他人をして語らしめて情報を得ることが主要任務であるはずのチェキスト（KGB要員）が、みずから進んで胸の内をペラペラしゃべり情報を他人にあたえるようでは、本来の職務をまっとうしえないだろう。「仕事内容を妻（または夫）にすら一言も口外してはならぬ」。また、実際プーチンは、このチェキストの教えを実に厳格に順守する人間だった。リュドミラ夫人は、日頃そのことに不満を抱いていたと正直に告白している。「汝の妻と物事を共有してはならない——これが、KGBの鉄則でした。事実、プーチンの東独勤務が決まったときも、行く先がベルリンでなくドレスデンであることを、ボロージャは私に決して語ろうとはしてくれませんでした」。

　ロイ・メドベージェフは著書『プーチンの謎』で、「諜報員＝寡黙が生業（なりわい）」の人間とすら定義している。チェキストが第一に心掛けるべきは守秘義務であるとみなして、メドベージェフはその理由をつぎのようにのべる。「プロフェッショナルな諜報員は、虚栄心が強い人間であってはならない。彼は自分の名前が知られることを決して欲してはならない。彼の業績は、ひじょうにしばしば匿名かつ秘密裡に保たれる。彼の本名はひじょうに長いあいだ秘密とされ、さまざまな偽名によって隠される。（中略）個人的な謙虚さ――これが、諜報員を守る楯になるのだ」（海野幸男訳）。

どのソビエト人名辞典にも載っていなかった無名の人物プーチンが、しかしながら、クレムリンの主になってからすでに一八年近くの歳月がたった。プーチンは、すでに触れたように、今日、米誌『タイム』や『フォーブス』によって毎年のごとく「世界でもっとも影響力のある人物」ないしは「今年の人物」に選ばれる著名人になっている。それにもかかわらず、彼は依然としてミステリアスな謎の人物にとどまっているのだ。二〇一二年に出版されたマーシャ・ゲッセン著のプーチン論は未だに『顔のない男』と題されている。商業目的用のタイトルかもしれないが、この事実は、プーチンの全貌が一二年間にわたってまったく明らかとならなかったことを物語っていないだろうか。

プーチンがまるで「政治的スフィンクス」のように映るのは、すでに触れたように、彼が（1）生来どちらかというと無口な人間性の持ち主であること、（2）何よりもＫＧＢの厳しい訓練を受けたチェキストであることにもとづく。これらの事由に加えて、私個人は（3）プーチンの意識的な意図、戦術、演出によるところも実に大きいと考える。一例をあげよう。

プーチンは、はじめて大統領に立候補することになった二〇〇〇年初め、新聞記者たちによってつぎのような質問を受けた。「もし大統領選に勝利したら、真っ先に何をするつもりか？」。プーチンは無愛想に答えた。「私は、しゃべりません」。その理由は、簡単だった。

もしプーチンが、この種の問いに真面目に答えるならば、それは候補者たる自分にとって必ずしもプラスの方向に働かない。プーチン本人がそう考えたからだった。すなわち、ロシア社会のいずれかの層の不満や反感を招き、批判や攻撃にさらされること必定だろう、と。加えて、プーチン独自のつぎのような計算も作用していたのではなかろうか。つまり、己の主義主張や立場を明らかにしないほうが、そうすることにくらべてメリットがはるかに大きい、と。そうしない場合、ロシア国民はプーチンに向かって各人各様の願望を投影して、いわば理想のプーチン像を形成してくれるかもしれないからである。

それはともかく、右の一例がしめしているように、プーチンは己の政治的イデオロギーを明確にしないことでしばしば批判されることが少なくない。しかし、それこそが「プーチン式政治スタイルであり、かつ彼の戦術なのである」。ゲオールギイ・サターロフは、このようにみる。サターロフは、元エリツィン大統領のアドバイザーのひとりで、現在はロシアで有名なNGO（非政府組織）の財団の総裁であり、かつ反プーチン政権の有力な批判者のひとりである。シェフツォーワ女史にいたっては、プーチンは「すべての者が望む〝誰でも人間〟としてのイメージを振りまくことで、ロシア国民の期待と支持を獲得しようとしている」とのべる。また別のロシア評論家は、プーチンを「ホワイト・ボード（白板）のようなもの」とみなす。

右のように説く評論家たちの見方に従うと、「プーチンって、一体誰？」——この問いにたいする答えは、そう簡単に見出されるはずがなかったといえるかもしれない。なぜならば、プーチンはみずからが「可塑性に富んだ鋳型（いがた）のテンプレート」たることを意図的にめざし、それを政治的なサバイバルの武器として利用している人物に他ならないからである。

プーチン＝準独裁者

ロシアの今後の出方を知るためには、是非ともプーチン個人を研究する必要がある。私がこう考える二番目の理由がある。それは端的にいって、彼がロシアで独裁者に近い権限の持ち主だからである。

もとより、プーチン大統領を独裁者とみなすのは必ずしも適当でなく、彼は調停者である。こう説く見方もある。たしかに、プーチンをスターリン・タイプの正真正銘一〇〇パーセントの独裁者とみなすのは、適当ではない。だからといって、しかしながら、彼は現ロシアの政治、社会に存在する種々様々に異なる利害をもつエリート集団のたんなる調停者に過ぎない――こうみなすのは、部分的には当たっているものの、プーチノクラシーの本質から目を逸らす過ちを犯すことになるだろう。外交政策を一例にとると、プーチンは、つぎのような決定を他の誰とも相談することなく、ほとんど一人でおこなった。二〇〇一年の米国同時多発テロ発生時での対米協力。二〇一四年のクリミア半島のロシア併合。二〇一五年のシリア空爆……等々。

だから、プーチンを少なくとも準独裁者とみなす必要がある。彼がくだす決定、彼が推進する基本的な政策方針に逆らう勇気や実力をもつ側近などは、ただの一人もいない。たとえば、プーチンの「もうひとつの自我（オルター・エゴ）」と称せられたセルゲイ・イワノフ大統領府長官は、辞職に追い込まれた。プーチンの経済政策に異を唱えるアレクセイ・クドリンは重用されていない。

代わって、プーチン大統領の下でロシア首相をつとめているのは、プーチンの一三歳年下で、彼に師事する忠実無比のドミートリイ・メドベージェフ。強硬な外交路線を唱える「悪玉」役を買って出たあとに、プーチン大統領をして妥協路線を採らせ「善玉」役を演じさせるセルゲイ・ラブロフ外相。少数民族、トゥヴァ人であるために、おそらくロシア大統領にはなりえないセルゲイ・ショイグ国防相。未だ四五歳のアントン・ワイノ大統領府長官……等々。彼らはいずれも、プーチン大統領の命令を忠実に執行する、いってみれば「装置」ないし「道具」に過ぎない。

トップの指導者がほとんどオールマイティに近いまでの決定権を独占する――。これは、本文中で詳しくのべるようにロシア統治のほとんど伝統とすらみなしてよい。だとすれば、プーチンもその例外ではない。いや、典型例とすらみなすべきである。彼はロシア大統領に就任した二〇〇〇年五月以来、今日にいたるまでの一八年間、このような独裁ないし、少なくとも準独裁的な統治をつづけているからだ。そして二〇一八年三月一八日の次期大統領選挙で、彼はほぼ確実に再選されるだろう。そして、不測の事態が発生しないかぎり、二〇二四年までの六年間、そのようなタイプのプーチノクラシーをつづけるだろう。不測の事態とは、交通事故、戦争の発生、宮廷クーデター、人民反乱などによって、プーチンが死去したり、権力の座から追放されるケースである。

アレクサンドル・ラールは、ドイツのクレムリン通のひとりである。今日、「独ロ・フォーラム」調査部長をつとめ、たしか元来ロシア生まれでロシアに概して好意的な論評をおこなうことで知られている。そのようなラールですら、「プーチノクラシー」＝「（プーチンの）ワン・マン支配」と定義する。まず、ラールは、まさにこれがロシア政治の特徴であるとみなして、のべる。「ロシア政治では、個人的な要素が西側にくらべて圧倒的に大きな役割を演じる。〔つまり〕ロシアの大統領は、己が適当とみなすやり方での統治法が可能なのである。西側諸国とは違って、彼は、議会、憲法裁判所、彼が属する政党の承諾を求める必要などまったくない」（傍点、木村）。ラールは結論する。「プーチンは、現代における帝政君主なのである。彼は、ロシア国家の理念を形成し、安全保障機関、外交政策、国家予算、ロシア経済（などのすべて）を指揮する」。

プーチン政権下の大統領府長官、ビャチェスラフ・ヴォロジン（現在、下院議長）が、二〇一四年に端的にのべた一句は、広く知れわたり評判になった。すなわち、「プーチンなしには、今日、ロシアもない」。米国のピーター・ルトランド教授（ウェズリアン大学、ロシア政治専攻）は、右のヴォロジン発言についてコメントした。「この発言は、一見するところ実に馬鹿げている。とはいえ、それは、ロシア政治システムが一個人〔プーチン〕の役割に異常な程度にまで大きく依存している事実を、実に的確にとらえている」。

ロシアの評論家、アレクサンドル・モロゾフも、「ロシアはとことんプーチンに固執する」と題するエッセイ中で記した。「今や、ロシアの将来は、ひとえにプーチンただ一人に懸かっている――すなわち、プーチンのムード、プーチンの個人的な健康状態、そして、プーチンが結局クレムリンを去るか、それとも死去するか否かに」（傍点、木村）。

ロシア政治の内外の専門家たちは、プーチン個人による準独裁的な政治をつぎのようなむずかしい政治学上の熟語を用いて表わそうとしている。「超個人化された政治システム」。もしくは、「人間主義」、「人治主義」、「手動統治」、等々。

〝制度〟よりも〝人間〟重視

私がプーチンの内外政策の今後の動向を推測するに当たって、プーチンを最重視せねばならないと説く三番目の理由がある。それは、ほかならぬプーチン自身が〝人間〟重視の立場に立っているからである。これは、本書で追い追いのべてゆくように、実はロシア人一般の特徴でもある。プーチンもまた、一ロシア人としてそのようなロシア人の国民的性格を見事に受け継いでいるばかりでなく、この点で、まさしくロシア人の典型以外の何者でもない

――。これが本書での私の見方であり、立場なのである。

右のことを説明するために、一、二のエピソードないしは事実をつぎに紹介しよう。プーチンのように冷酷無情なチェキストにもその生涯で珍しく心を許した友人が一人、二人いるようである。セルゲイ・ロルドゥーギンは、どうやらその例外的な人物とみなして差し支えないように思われる。ロルドゥーギンは、プーチンより一歳年上のチェロ奏者。サンクト・ペテルブルクで幼いときから家族ぐるみでプーチン一家とつき合った人物である。プーチンの長女、マリーアの名づけ親にもなった。そのようにプーチンにきわめて親しいロルドゥーギンは、あるときプーチンに向かって率直に尋ねた。「私は、チェロの演奏で飯を食っている。では、君の職業は何なのだ？　君がスパイであることを、私は知っている。だが、それは果たして何を意味するのか、よく知らない。君は一体誰なのだ？　君は何ができるのか？」。

これは、実に直截かつ際どい質問だった。だが、幼なじみの親友から提出された問いだったために、プーチンといえども回答を逃げたり誤魔化したりするわけにはゆかない。ところがプーチンもさる者、この難問に一言でぴしゃりと答えた。「私は、人間関係の専門家なんだよ」（傍点、木村）。

右は、多くのプーチン研究家たちが決まって引用するプーチンの公式伝記『第一人者から』中のプーチンの名台詞（せりふ）である。同書からもう少し引用をつづけると、ロルドゥーギンは自身のコメントを付している。「実際、プーチンは、プロ〔のチェキスト〕ならば、是非とも人間に精通している必要があると考えていた」（傍点、木村）。改めて紹介するまでもなく、プーチンはたしかにみずからKGB（ソ連国家保安委員会）の要員（チェキスト）になることを志願し、KGBの教育を受けた人物に他ならなかった。

プーチンは、KGB要員として雇用されて間もなく、モスクワへ派遣され、「アンドロポフ赤旗諜報研究所」（現在、「対外諜報アカデミー」と改称）で一年近く特別訓練を受けた。この研修期間中、プーチンたちは、一体どのようなことを叩き込まれたのだろうか。もとより、ことの性質上、それは外部のわれわれが決してうかがいえない秘中の秘に属する事柄である。とはいえ幸いなことに、プーチンの同期生たちによる一、二の証言が洩れ聞こえてきている。

たとえば、アンドレイ・ピーメノフ（仮名）によると、同研究所での訓練中にチェキストの卵たちが叩き込まれたことのエッセンスは、結局のところつぎの一事に尽きるという。良きチェキストになるのは、「他人とのあいだで相互関係をつくること。すなわち、個人的な関係を形成する能力を養成して、人間に影響を及ぼすこと」（傍点、木村）。これこそが、必要不可欠の要諦だった、と。プーチンのもう一人のKGB仲間、ヴァレリイ・ゴルベフは語る。「KGBでプーチンと同じクラスで、私たちはデール・カーネギー著『人を動かす』を教科書として、一緒に読んで勉強しました」。『人を動かす』の英語タイトルは、まさに「友を獲得し、人間に影響をあたえる方法」（傍点、木村）である。

以上で、「チェキスト＝人間関係の専門家（プロ）」ということが分かった。英国人のクレムリン通、アングロ・ロックスバフは、その意味をさらに一歩突っ込んでつぎのようにのべる。「人間関係のプロ」とは、「人々と交わることに巧みなエキスパート」に他ならない、と。この見方は、ロシアの心理学者、ビクトル・タラーソフの考えと一致する。タラーソフは、『ウラジーミル・プーチンの心理学的肖像画』と題する自著でつぎのように記しているからである。「プーチンは、他の人間と〝親しくなる〟術に秀でている。彼のこの資質は、彼の〔チェキストとしての〕職業上の訓練の賜（たまもの）だろう」。

プーチンが「人間関係のプロ」として、他人と交わる術に秀でていたことは、ついでながら、彼のスピード出世を解く鍵といえるだろう。彼は、射落とそうと考えた人物を必ず籠絡（ろうらく）し、味方につけることに成功した。たとえば、東独でホーネッカー体制の崩壊を目のあたりにして帰国したプーチンは、サンクト・ペテルブルク市長、アナトーリイ・サプチャクの目にとまり、瞬く間に第一副市長の座にまで昇りつめた。サプチャクが再選に敗れると、プーチンはモスクワへ出て、わずか三年半後には早やエリツィン大統領の後継者の地位を獲得することに成功した。また、後に本文中で詳しく紹介するように、大統領に就任してからのプーチンは、米国の共和党出身で反共、反ロ主義の権化ともいうべきジョージ・W・ブッシュ大統領をただ一回の会合でたちまちのうちにめろめろにしてしまった。

プーチンは人たらしの名人であり、狙った上司をたぶらかすことに必ず成功する——。このことを、駐東独ソ連領事館でプーチンとオフィスを共有していたウラジーミル・ウソリツェフ（本名は、ウラジーミル・ゴルタノフフまたはウラジーミル・アルタモノフ）は、著書『同僚』でつぎのように記している。

「エリツィンの周囲にうごめいていた潜在的な競争仲間のなかで、プーチンはつぎの一点にかんしては他の誰よりも上回り、卓越していた。それは、彼が世代を超えて他人を惹きつける不思議な能力をもっていたことだった。その能力を駆使したプーチンにたいして、さすがに海千山千の世故に長けていたはずの初代大統領〔エリツィン〕ですらころりと参ってしまったのだった」

ウソリツェフはつづける。「率直にいうならば、プーチンは礼儀正しい素振りをしめしながらも、その背後では恐ろしいまでのエネルギーを蓄積させ、沸騰させている人間なのである。にもかかわらず、それを見事に隠しおおせる能力の持ち主でもあった。つまり、上司には極端なまでに忠実な印象をあたえるという能力である」。

生身の人間が制度を動かす

さて、ロシアは、改めていうまでもなく、日本にとり決して無視しえない重要な大国である。どちらかが地上のどこかへ引っ越さないかぎり、（好き嫌いに関係なく）つき合うことが運命づけられている隣国である。実際、たとえどんなに困難かつ長期にわたろうと領土問題を解決し平和条約を締結し、関係を完全に正常化する必要がある相手である。つまり、国家としての交際、政策、戦略などの諸見地から統合的に把握し理解する必要がある国家である。では、具体的には一体どうすればよいのか？　私の考えでは、ロシア研究を進める場合、とりわけ肝要なことはロシア人のものの考え方ならびに行動様式の特徴をつかむことであると思う。端的にいうと、「ロシア人の研究」が出発点とならねばならないと考える。なぜか？　以下、そのわけを簡単にのべる。

強調したいのは、プーチノクラシーがどのような政治、経済、社会体制のものであろうとも、そのシステムや制度を実際に動かしているのは、ロシア人に他ならないことである。すなわち、外交、戦略、政策、計画というものも、それらはまったく抽象的な形で存在するわけではない。具体的な生身の人間にになわれてはじめて現実的な形をとる。そして、ロシアのそれらは、改めていうまでもなくロシア人によって執行されることである。

右のことを、くどいようだがやや違ったやり方で説明しよう。仮にまったく同一のイデオロギー（たとえば、マルクス・レーニン主義）や制度（たとえば、大統領制、議院内閣制）が、A、B、Cという国に導入されたとしよう。その場合、A、B、Cそれぞれの歴史的な伝統や国家を構成する人間の国民的性格から誕生し、形成されてきたA、B、Cの人的環境が異なれば、異なった結果が生まれる。必ずしも均一でない現実的な適応がなされるのは、いわば当然ではなかろうか。

すなわち、外部から導入された思想や制度を受け入れる側であるA、B、Cの諸条件と接触し、衝突、反発、共鳴、といった作用や反作用を惹き起こし、その結果異なったものをつくり出す。分かりやすいたとえを用いるならば、同一の植物の種子を異なる土壌に植える場合、若干異なった花が咲き、果実がみのるだろう。

一例として、マルクス・レーニン主義という同一の思想を国是として採用しながらも、以前にはソ連、中国、東・中欧諸国には、ほとんど国の数にも等しい異なる数の「社会主義」が生まれた。また、明治以来の日本は、欧米流の民主主義や資本主義制度を採用したつもりだったが、いつの間にか軍国主義の台頭を許した。その厳粛な反省にもとづき第二次世界大戦後はおおむね欧米制度を厳密、忠実に順守してはいるものの、実態はといえば、それはやはりあくまでも日本式の民主主義や市場経済である。このことは、日本人が何千年という期間にわたって独自の政治文化を形成し、そのなかで生活してきた事実を思い起こすと、当然至極とすら言えるだろう。そのような「政治文化」について一言、説明しよう。

政治的文化＝国民性

ある一定の人間集団が存在すると、そこには「文化」が生まれる。ここで「文化」とは、そもそも何ぞやというしち面倒くさい定義はおこなわないことにしよう。その集団の構成メンバーに共通している独特のものごとの受け止め方や処理方法という程度の漠然とした意味でよいだろう。逆に個人の面からいうと、ある特定の集団に帰属する個人は、知らず知らずのうちに、その集団の「文化」の影響を受け、大なり小なりその「文化」を共有する人々と似かよった行動様式をとりがちになる。

政治家、外交官、軍人とて、右の一般的原則の大きな例外ではない。つまり、彼らがたとえいかに傑出し、他の同輩たちと異なった人物であっても、彼らは己が生まれ、育った時代や環境から、そう並はずれて懸け離れた存在とはなりえない。彼らは、意識するとしないとにかかわらず、他国の行動を認識し解釈し、さらに己の言動を決するさい、自分が属する集団の「文化」的な影響や制約を受ける。つまり、彼らもまた「文化」の刻印を色濃く捺(お)された存在なのである。

このような広い意味での「文化」のなかで、政治家の意識、行動、政治制度の実際の運用に影響をあたえる文化に注目して、それを「政治的文化」と名づけることにしよう。あるいは、「政治的風土」と呼んでもよいかもしれない。

「政治的文化」はやや堅苦しく、まだ耳慣れない言葉である。そこで本書では、この言葉の代わりに思い切って「国民性」という言葉を用いることにしよう。つまり、ロシアの「政治的文化」という代わりに、ロシア人の「国民的性格」、略して「国民性」という用語である。実は、「国民性」という言葉は、厳密にいうと、「政治的文化」という概念にくらべてやや狭く、若干異なった意味をもつ。だが、そのような差は、本書の性質と主旨からいってさほど大きな問題とはならないだろう。

人間中心のアプローチ

言葉の問題は、それほど大したことではない。むしろより大切なことは、繰り返しになるがつぎのことである。どの国（や社会）であれ、政治、経済などの営為はすべて人間によっておこなわれる。したがって、それらの研究は、活動主体である人間の検討からはじめるのがきわめて当然至極であり、このことはロシアについても当てはまる。ところが、それがあまりにも自明なことなので、ついその点に格別の注意が向けられない嫌いがある。私がのべようとするところを簡潔かつ明快に指摘した言葉を、以下、一、二引用して、この自明の理を強調しておこう。

まず、政治の研究が人間の研究からはじめなければならないことを、ウォルター・リップマンはつぎのようにのべた。リップマンは、米国のジャーナリスト兼碩学（せきがく）として誰一人知らぬ者はない人物。彼は、今から数えるとすでに一〇〇年も前に喝破した。「人間に言及することなく政治について語ることは、（中略）まさしくわれわれの政治的思考におけるもっとも重大な誤りとなる」。また、故丸山眞男教授（東京大学、日本政治思想史）も、あたかも政治＝人間とみなすかのようにのべた。「政治を真正面から問題にして来た思想家は、古来必ず人間あるいは人間性の問題を政治的な考察の前提においた。（中略）政治学は究極において『人間学』である」。

ポール・ニッツェ元国防次官は、米ソ冷戦期に長年にわたりソ連相手の軍縮・軍備管理交渉で米国側代表をつとめた人物である。そのような彼は、自分の仕事がロシア人の研究からはじまり、ロシア人の研究に終わる――このことを、要約してのべた。「私のテーマ（主題）は、ロシア人である」。ちなみに、この言葉以上に、本書における私の関心を一言で適切に表わしたものをほかに知らない。

右のようにのべた人間中心のアプローチは方法論のひとつに過ぎない。「ひとつ」の方法論とのべるわけは、私が、それ以外のやり方、たとえばプーチン・ロシアを準権威主義体制やロシア式国家資本主義が支配している国とみなす見方やアプローチに、反対しているわけではないからである。しかしながらわが国では、私が本書で採ろうとしているような人間学的アプローチは、これまできわめて稀であった。

わが国では、従来、ロシアをもっぱらその思想、システム、制度といった角度から研究しようとする高度に学術的で堅実な――しかし、往々にして、血の通わぬ――方法論のみが、ロシア研究のオーソドックスなアプローチとしてまかり通ってきた。

他方、ロシア文学作品の鑑賞やロシア旅行記の執筆では、まったく個人的、直感的、散発的な印象論が幅を利かして、誰もそれを不思議と思わない風潮が存在した。しかも、これら純客観的な研究と直観的な印象記の二つが結び合わそうと試みられることもなく、極端にいえば水と油のように、ただたんに並存していたように思われる。

まことにおこがましいことながら、この水と油の二つをなんとか結びつける方向に向けて一石を投じる――これこそが本書の狙いであり、私の野心なのである。言葉を換えていうならば、現ロシアの政治、経済、社会の諸側面の解明に、〝人間学的アプローチ〟を意図的に持ち込んでみるささやかな実験――このことが、本書の狙いに他ならない。

ロシア人一般を知ることが肝要

「謎のなかの謎に包まれた謎」、もしくは一言でいって「政治的スフィンクス」にたとえられるウラジーミル・プーチン――。彼の人柄、とりわけ今後予想される行動様式を知る適当な術は、果たして存在しないものだろうか？ こう考えあぐねた末に、私がついに思いついたことは、以下である。

第一は、プーチンがロシア人であること。したがって、彼はロシア人特有の思考と行動様式をしめすに違いない。一例をあげれば、「領土」にかんして、プーチンはロシア人固有の考え方をおこない、それは日本人のそれとは必ずしも同一ではないかもしれない。

第二は、プーチンがいまやロシアの政治家であり、かつ最高指導者であること。政治家は一般国民大衆から特別浮き上がった存在であることは許されない。彼（もしくは彼女。以下、同じ）は、国民にくらべ一歩前を歩く必要はあるものの、だからといってあまり先を進み、時代を先駆けてるようでは、国民の支持を期待しえず、国民から浮き上がってしまい、挙げ句の果てには失脚の危険にすら直面せねばならないだろう。

第三は、プーチンが政権末期を迎えていること。そのような彼にとり最大の関心事は、己（および家族）のサバイバル（生き残り）である。この点で、病床にあった政権末期のエリツィンと似かよっている。そのために、今後のプーチンは、ロシアの国家のためよりも、むしろひたすらロシア国民受けを狙った諸政策を提唱し、実施するだろうと予想される。

以上の三点から判断して、私はつぎのように考える。すなわち、プーチンを理解し、さらに彼が今後とるであろう政策や措置を予想するためには、ロシア人一般を知ることが肝要になる。ロシア人の国民的性格を知ることによってはじめて、プーチン独自のように思われる彼の思考回路や、一見、突飛のように思われる行動様式の謎を解く重要なヒントが得られる、と。これは一見して気が遠くなりそうな迂遠なアプローチではある。たしかに、現ロシアのプーチン戦略を研究するために、いちいち「ロシア人とは何か？」という問題に遡らねばならないとしたら、どうだろう。それは、実にまどろっこしい手法のように思われるだろう。

にもかかわらず、それは有効かつ試しがいのあるひとつの方法論ではなかろうか。それがあまりの手間暇がかかる手法であるために、これまで誰もあえて試みようとしなかった。とはいえ、このように突拍子もないことに挑戦しようと考える研究者が一人くらいいても差し支えないのではなかろうか。

プーチンとロシア人——目次

プーチンとロシア人

第1章 背景

日本とは対照的な地勢的環境

広大な空間

ロシア人の国民的な性格を形づくる諸要因のなかでも、とりわけ重要なのは、自然的要件である。ロシア連邦の国土は、一七〇八万平方キロメートルの広さ。地球の全陸地のおよそ八分の一、中国の約二倍、米国の約二倍、日本の約四五倍の大きさである。文字通り世界一の国土面積。一一の時間帯をもつために、国内の時差は最大一〇時間にも及ぶ。人口は、一億四六五一万人（二〇一六年現在）で、日本のわずか一・一倍。ロシアとほぼ等しい人口が四五分の一の土地にひしめいて生活しているわが国とは、容れものの大きさが異なる。このように気の遠くなるような広大さにくらべうる領土をもつ国は、他に存在しない。

広大な地勢的要件は、ロシア人のメンタリティー（精神性）形成に大きな影響をあたえていると想像される。革命前のロシアが生んだ最大の思想家のひとり、ニコライ・ベルジャーエフは著書『ロシアの魂』で、つぎのように書いた。「ロシア人の魂には、ロシアの土地の巨大さ、茫漠さ、無限的広がりにマッチするものがある。ロシア人の精神は、ロシア人の土地と相呼応しているのだ」。イギリスのロシア史家、バーナード・ペアーズの『ロシア』での説明は、もう少し具体的である。彼は、ロシアの果てしない土地空間がロシア人に与えた影響について、つぎのように記した。「ロシア人は空間（スペース）をたのしむ。何よりも好きなのは、肘を伸ばしうる余地——何らの強制もなしに活動しうる余地である。彼らはつねに強制を避けようとしている。ロシア人の生活は流動的である」。

ただたんに、茫漠たる空間が広がっているだけではない。少なくともつぎの三つの特色が加わる。

天然国境もたぬロシア

第一は、それが天然の障壁（大洋、広く深い河川、そびえ立つ山脈など）で守られていない大陸国家であること。これが、四界を海という理想的な国境に恵まれている日本との大きな違いだろう。そのような平坦な土地空間は、ロシアの詩人や文学者によって「広大無辺」

な平地、または茫漠たる「虚空」と謳われた。アメリカのある専門家の表現を借りると、ロシア民族は「無防備の大草原（ステップ）に棲息している」。人口一三億以上を抱える中国と四三五五キロメートルに及ぶ国境線を共有していることは、とりわけ注目に値する。

広大無辺な領土は、ちょっと先走りするようであるが、安全保障の観点からいうとつぎのようなプラス、マイナスをもたらす。マイナスからさきにのべると、外敵によって侵入されやすい欠陥をもつ。実際、ロシア史はモンゴル、ナポレオン、ヒトラーなど、たび重なる外敵との攻防に明け暮れた。

ところが、ロシアの広大無辺な空間は、〝攻め〟には弱い代わりに、〝守り〟には強い。これは、プラスだろう。分かりやすいたとえを用いるならば、「もろ刃の剣」の機能を演じる。つまり、ロシアの国土は広大すぎるので、それを完全に征服したり、ましてや政治的な植民地にしてしまうのはひじょうにむずかしい。天はまことに公平といわねばならぬ。現代風の言葉でいえば、ロシアは、日本列島などと異なり、縦深性に恵まれているのだ。故パートラム・ウルフというロシア研究家によるやや詩的かつ巧みな表現を借りるならば、ロシアの大平原はどのように強力な侵入者にたいしても、対抗しうる強力な援軍をもっている。ぬかるみ将軍および冬将軍の二つを副将とする「距離将軍」である。日本帝国陸軍は、かつて中国大陸の深みにはまりこんで無残な経験をした。一八世紀のカール一二世、一九世紀のナポレオン、二〇世紀のヒトラーらが率いる侵略軍は、同様にロシア国土の縦深性によって散々たる目にあって、結局は敗退させられた。ものごとが、プラス・マイナスの両面から観察されねばならない好例といえよう。

雨量に恵まれぬ

広大な土地空間は、天然国境の欠如のほかにも、ロシアに恵まれない状況をもたらす。たとえば、たしかにその国土こそ広いものの、そのほとんどが気象状況が厳しく、農業にあまり適しない土地柄であること。この点は、たとえば農耕に適した広大な土地をもつ米国と事情を異にする。ロシア農業の不振はよく知られている。ロシア内外においてもジョークやアネクドート（小噺）の種としても頻繁に登場し、からかわれるテーマになっている。ソ連時代にもっとも有名だったのは、宿敵の米国から食糧援助を得なければならなかった事情を皮肉ったつぎのアレクドートだった。「社会主義農業とは、ソ連で種をまき、アメリカで収穫する方式である」。

右のアレクドートのように、ソ連式農業不振の責任をすべて集団農業という「社会主義」のせいにするのは、いささか酷かもしれない。ロシアの自然条件がそもそも農業にあまり適せず、その不振の元凶のひとつなのだから。

まず、農耕に適する地域が少ない。つぎに、農業に適する気候の期間がひじょうに短い。さらに、農地分布と雨量との関係がアンバランスである。すなわち、降る必要のない森林地帯によく降る。逆に、雨が降ってほしい土壌が肥沃な地域（たとえば黒土地帯）にはあまり降ってくれない。しかも、種をまく春や夏のはじめに降らず、収穫の時期たる夏の終わりに土砂降りの雨が降る。ついでながら、フレデリック・フォーサイスの傑作のひとつ『悪魔の選択』も、ソ連の雨量過剰からくる穀物危機を物語の発端に用いている。つまり、例年になく多い雨量から予想される穀物種子の水分過剰をふせごうと試み、しかもソビエト当局による予防策が見事に裏目に出て失敗――これが、以後スリルにつぐスリルへと展開してゆくストーリーの重要な前提とされている。

ロシアの森がロシアの心をつくる

ロシアの自然のなかでロシア人の精神に強い影響をあたえているものとしては、草原のほかに、是非とも森林をあげるべきだろう。草原（ステップ）と森林（リェース）――これは、ロシアの自然、したがってロシア人のもっとも重要な形成要素である。われわれが日本を成田から発ってモスクワに向かうとしよう。その一〇時間前後の機中から眼下を眺めるならば、約九時間以上は空のほかは森ばかりを見ることになろう。ロシア文学者の故木村浩氏は、ロシアの森のなかにこそロシアがあるという意見の持ち主だった。その病（？）が嵩じて、『ロシアの森』（一九七九年）と題する本まで出版した。ロシアと森の関係についての、木村氏の一文を引く。「ロシアの森には、ロシアの美しさも、豊かさも、不屈さも、従順さも、謙虚さも、闘志も、自信も、限りないなつかしさも、明日にかける夢も、痛ましい想い出も、何もかも一つの柔らかい調和のなかに融けこんでいる」。

もっとも、ロシアの森に傾倒したり、ロシアの森にこそロシアを理解する鍵があると考えるのは、木村氏をもって嚆矢(こうし)とするわけではない。誰しも、文学に少しでも関心をもつ者ならば、直ちにロシアの森に一生を捧げたレオニード・レオーノフの小説『ロシアの森』を思い出すことだろう。また、たとえ専門家でなくともロシア文学、絵画、映画に接したことのある者ならば、そのなかで必ず一度は登場するといってよい、白樺、樅(もみ)、松などがうっそうと茂る森林の情景を眼前に思い浮かべるだろう。バーナード・ペアーズなど欧米のロシア研究者たちもこぞって、ロシアの森がロシア人の性格形成にあたえた影響を強調している。

ともあれ、もう一度木村浩氏の見解に戻ると、氏は、この「ロシアの森」のイメージを文学の上に具象化したものがまさにトルストイの文学ではないかと説く。そういえば、私自身はまったく文学的素養を欠く人間ではあるが、トルストイが育ち、いま眠っているヤースナヤ・ポリャーナの地を訪れ、そのうっそうと茂る森を散策した折、『アンナ・カレーニナ』や『戦争と平和』のなかに出てくるトルストイによる森の描写を思い浮かべ、なにかトルストイの文学の一端に触れえたかのような想いを抱いたものである。

しかしながら、誤解は禁物である。私たちがトルストイの文学作品や映画『戦争と貞操』などから連想する、繊細で美しく絵画的な白樺林ばかりが、ロシアの森のすべてなのではない。それは、ロシアの森のほんの一部を表わしているに過ぎない。ロシアの森は、同時にもっと暗く、恐ろしく、不気味で、残酷な存在であるからだ。ロシアの森は、人間の力によって適度に馴らされた、ヨーロッパや日本の森とまったく異なる類いの自然である。いったん迷い込んだら二度と再び生きては出てこられない底なし沼の深さを秘めている。要するに、それは何もかも飲み込む包容力と恐ろしさの両面を併せもつ、途方もない広がりなのである。

まさにそれだからこそ、ロシアの森林地帯は、ロシアの農民たちが、ステップ（草原）での遊牧民たちの侵入から逃れる避難所（シェルター）となりえた。ところが森でも、ステップ同様に不気味な恐怖と弱肉強食のジャングルの掟が支配する。木の根を燃やし、つかの間の暖をとっているときも、人間なり野獣がいつなんどき樹木の背後から襲いかかってくるかもしれない。このような不安にたえずおびえていねばならない。ペアーズも『ロシア』のなかで、ロシアの森林がロシア人の性格形成にあたえた影響を重視する。ペアーズによれば、森林こそがロシア農民の主要な性格である不断の警戒心を生んだ。ほんのわずかな掩護物（カバー）でも見つけ出す天性の直観をつちかい、「身をかわすこと」にかけては世界一の名人へと仕立てあげた源なのだ――。このようにまで主張している。

想像を絶する厳しい冬

ロシアが、米国同様、広大無辺な領土に恵まれながら、米国とは異なる点が、少なくとももうひとつある。それは、大部分の土地が緯度の高い北寄りに位置しているということである。つまり、気候条件が厳しい。冬が長く、積雪が多い。

私は、原始林を切り拓き、造成した北海道江別市の住宅地に約一〇年間暮らしていた。朝は玄関前の雪掻きをしなければ戸外へ一歩も出られず、休日は女房ともども屋根にのぼって――ただし梯子は不要である！――雪降ろしをせねばならぬ生活が、毎年少なくとも四か月間はつづく。そのあいだは、テレビを観ても雪のない本州の風景が信じられず、異様にさえ映った。〈なぜ、北海道民は、気候温暖な本州、四国、九州、沖縄の住民と同率の税金を支払わねばならないのか。天も政府も、まことにもって不平等かつ非情きわまりない！〉との愚痴を洩らした。冬期における東京出張の折は、浜松町のモノレール駅の階段を降りる頃になってはじめて自分の背筋の伸びるのを憶え、喫茶店で屈託なく談笑している若者たちをみると、思わず〈なにをボヤボヤしているのか！　人生は闘いなんだぞ！〉と叫びたくなった。

ところが、ロシアの冬とくらべると、札幌郊外の冬など実は「冬」という同一の言葉など使ってはいけない寒さなのだ。これは、モスクワで二回の冬、ヤクーツクの夏（?）を経験した私の実感である。モスクワでは、摂氏零下一七度を過ぎる頃から、自動車の運転が困難となる。なにしろ、どういう処置をほどこしても、車内と車外の温度差があまりにも大きいために、フロント・ガラスが車内で吐く人間の息によってたちまち曇ってしまい、見通しがまったく利かなくなってしまうからだ。毎朝、勤務先の日本大使館に着いてからの挨拶は、今朝は「どこそこでスリップした、追突した、事故に遭った友人を助けた」……といった一連の通勤地獄が、ひとしきり話題になる。零下三〇度を越えると、地下鉄の出入り口のあたりに猛然と白い蒸気が炸裂しているのが見える。暖房された地下鉄駅構内から出てくる暖かい空気が、凍りついた外気と衝突して生ずる現象なのだ。一九八〇年八月、ヤクーツクの永久凍土を見に行ったときも、私はホテルの暖房がもの足らず、ほんとうに風邪をひいてしまった。「冬に、またいらっしゃってください」といわれたが、「もうコリゴリ、頼まれても結構」というのが正直な感想だった。

ウラジオストクへは、私は、頻繁に訪問している。日本から飛行機で約二時間の距離でしかない隣国ロシアだからである。ウラジオストクは、ロシア極東のなかで最南端に位置し、太平洋に面し「ロシアのサンフランシスコ」と自称する美しい街である。だが、同地の一月の平均気温は零下一四度で、決して暖かい土地柄ではない。同じ月のカナダのバンクーバーはプラス二・七度、サンフランシスコはプラス九・二度である。

厳冬も性格形成のルーツのひとつ

ロシアの冬は、日本や欧米諸国の冬とくらべ、その厳しさの程度が違う。そして、そのような長く厳しい冬はロシア人の性格形成にも一役買っている。半年以上もつづき、心身全体に重々しくのしかかってくる冬は、ロシア人の意識のなかにつぎのような感情をはぐくむ。人生は、毎日が闘いの連続。しかもその闘いで人間の勝ち目はない。すなわち、自然と争っても、自然を恨んでもどうなるものでもない。「長いものには巻かれろ」。諦めるのがベスト。このような人生観が生まれる。

気候風土と民族的性格との関連で、きまって引用される文章がある。それは、マキシム・ゴーリキイの『ロシア農民について』のなかの一節である。この文豪は、ヨーロッパ人とロシア人のメンタリティーの違いが、両者のおかれた自然環境——したがって自然にたいする態度の根本的な差によって生み出されたと主張する。すなわち、ヨーロッパ諸国で人々は幼年時代から、自然の力を征服し、それを人間の理性に順応させるように利用してゆくという「意志と感覚」を身につける。そこから、「人間の価値、労働の尊重、さらに自分自身の重要性について目覚める精神を心に養ってゆく」。しかし、ゴーリキイは断言する。「このような考え、感覚、価値観が、ロシアの小農の魂のなかに生まれてくることはありえない」、と。ゴーリキイ自身は、必ずしもそのわけをしめしていないが、私が右にのべてきたことからその理由はほぼ明らかだろう。

米国のジャーナリスト、ジョージ・ファイファーは、名著『モスクワからのメッセージ』で、記している。ある日のこと、彼は、髪をブロンドに染めた西洋かぶれと思われるロシアの女店員に向かい、いとも無邪気に尋ねた。「どうして、君たちはミニスカートをはかないんだい」、と。同記者の質問にたいして、〈まったく分かっちゃいないわね〉と、けんもほろろの答えが返ってきた。「こんなお天気で、ミニスカートなんかはけるかしら？　年に三週間がいいところで、そのほかのときにはいたら私たちは凍ってしまうわ」。

この経験がよっぽどこたえたのだろう。ファイファーは、この店員がいったことがロシアの生活のすべての側面について言いうることであるとの一般化さえおこなっている。つまり、「体制」とか「社会形態」とかは、ほんの二次的な理由でしかない。むしろ、ロシアの地理、歴史、とくに気候こそが根本的な規則をつくり出し、ロシア人の生活様式を決定しているのである。結論として、ファイファーは、つぎのようにすら記す。「ロシア人の生活のすべてを支配しているのは、ロシアの冬である——これが、私のロシア観である」、と。

不凍港の欠如

ロシア連邦の地勢は、米国などとくらべ、ずっと北寄りである。苛酷な寒さを伴う。このことについては、すでに説明した。このことと関連して、もうひとつ大事なことがある。それは、ロシアが、不凍港に恵まれていないという事実である。ロシアがツァーリズム（帝政）以来不凍港をもたないことが、のちにのべる南下膨張傾向の最大原因である。このように説く者すら少なくない。たとえばアメリカの地理学者のジョージ・クレシーが、その好例だろう。この学者の説明の骨子は、彼のつぎの文章によく表われている。

「ロシアの歴史を、大洋への出口を求める努力という観点から書くことも可能である。ロシアのクマは不凍港を見つけるまでは満足しない。これは、政府がツァーリズム専制であろうと、ソビエト社会主義であろうとまったく関係のない、等しい真理なのである」

スターリンは、第二次世界大戦が終了したとき、とくに日露戦争の敗北以後、長らくのあいだ、日本によって閉ざされていたロシアにとっての太平洋への出口が、再びソ連に開かれた喜びと意義を、ソ連国民に向かってつぎのように叫んだ。少々長いが、わが国の北方領土返還運動にも関係するところが少なくないと思われるので、思い切って引用してみよう。

「日本は、日露戦争における帝政ロシアの敗北を利用して、ロシアからサハリン南部を奪い、千島列島に根をおろし、わがソ連から極東の大洋へのすべての出口――したがって、ソビエト・カムチャツカおよびチュコト半島の港へのすべての出口――に固く錠をかけ、閉ざしてしまった。

しかし、第二次世界大戦によりサハリン南部と千島列島がソ連のものとなり、今後はソ連を大洋から引き離す手段として、日本のわが極東への攻撃の基地として役立つことはないだろう。むしろ、ソ連と大洋との直接の結びつきの手段、そして日本からのわがソ連への攻撃にたいする防衛の基地として役立つだろう」

ここでは、スターリンののべていることが、果たして妥当であるか否かについては論じない。そのことを別にして、この引用からロシアの指導者が大洋への出口や不凍港に並々ならぬ執着をもっていることが十分なまでにうかがえるだろう。このような執着ぶりから察するに、ロシアによる北方領土の対日返還は残念ながらきわめてむずかしく、前途多難とみなさなければならないだろう。また、黒海に面するクリミア半島のウクライナへの返還も、そうだろう。

ビザンティン文化の影響

ここまでのべてきた地理的条件とならんで、つぎにロシアの歴史的経験も、現ロシア人の性格を形づくるのに一役買っている。

ロシア人の文化や性格形成の観点から無視できない歴史的な事件のひとつとしてビザンティンの影響を取り上げてみよう。古代ロシアが、狭い意味のヨーロッパではなく、そこから分かれた東ローマのビザンティンの文化圏と接触した歴史的事実である。ロシアは、ビザンティンから宗教、文化、思想などを受け入れた。手っ取り早い例として、ロシア文字をあげよう。ロシア語のアルファベット三三文字のなかに混っている、たとえばまるで団子を串ざしにしたような一見して奇妙な文字「Φ」などは、ギリシア文字をモデルとしてつくられたものである。ロシアの帝政君主「ツァー」という言葉も、ビザンチン皇帝「カエサル」に由来している。

さらに重要なことは、ロシア人が、自己の宗教として、ローマ・カトリック教でなく、ギリシア正教を導入したことだった。宗教と文化、思想とは分かちがたく結びついている。カール・マルクスは、「宗教は人民の阿片なり」と喝破した。ソビエト期にクレムリン当局政権は、マルクスの教えに従い、宗教の弾圧を陰に陽に実施した。しかし、宗教、つまりギリシア正教の教えや習慣がロシア人に及ぼした力や影響は、そう簡単に失われる類いのものではない。このことは、日本の場合を考えてみても分かるだろう。日本がいかに西欧化の波をかぶろうとも、日本人の心情奥深くには、仏教的な無常観、儒教的な倫理感が色濃く残っている。浪花節的な義理人情などの伝統も根強く生きている。ロシアの場合にも、おそらく似たようなことがいえるだろう。

ツァーリズム（ロシア帝政）の紋章となった双頭の鷲は、ビザンティン皇帝の紋章に従ったものである。このことによく表われているように、ロシアは、ビザンティン帝国から宗教ばかりでなく、政治的な影響も色濃く受けた。とくに注目に値するのは、ギリシア正教によるつぎのような教えである。ギリシア正教はあたかもあの世において天たる神に仕えるように、この世においては地上のツァーリに仕えよと説く。地上の俗世界では、政治的支配者、すなわちロシアではツァーリ（帝政君主）が、他のあらゆる者に優る支配者である。人々はあたかも天の主に仕えるのと同じく、この地上の権威にたいして絶対的服従を捧げることが義務づけられる。

このように教えることにより、ギリシア正教は、ロシアの専制主義にもとづく帝政制度の確立に貢献する理論的根拠をあたえたのである。ここに、歴史がもつ重みがある。現プーチン下のロシアで準権威主義的な政治体制が維持されているひとつの理由は、ロシア国民が他国にはみられないほど権威というものにたいして従順だからである。ロシアの歴代指導者たちは、このような歴史的経緯がもたらした人民の従順な態度によって助けられ、支えられているのだ。

プーチン、敬虔な信者を装う

プーチン大統領は、ロシア正教の信者である。ソビエト政権下では、右にのべたようにマルクス主義の教え「宗教は人民の阿片である」に従って、スターリンはソビエト国民がロシア正教を信仰することを禁じ、教会の破壊すら命じた。ところが、プーチンの母親マリアは、自身がロシア正教の信者であることを止めなかったばかりか、プーチン少年に洗礼を受けさせ、十字架をあたえた。以来プーチンは、その十字架を片刻も離さず身につけ、聖地イスラエルへ赴いたときには清めてもらいさえした。

プーチン大統領は、二〇〇一年六月、ジョージ・W・ブッシュ米大統領にスロベニアのリュブリャーナで初めて会ったとき、ブッシュに向かって右のように母親の影響によって自分はロシア正教の信徒になり、今なお十字架の持ち主であると語った。すると、敬虔なキリスト教徒であり、かつお人良しのブッシュ大統領は「まるで魔法にかけられたかのごとく」(アンゲス・ロックスバフ)、たちまちのうちにめろめろになってしまった。というのも、それまでブッシュは、プーチンが唯物史観にこり固まったごりごりの共産主義者であり、加えて非人間的なチェキストの権化以外の何者でもない——こう思い込んでいたからである。ところが、プーチンとて自分たちと一向に変らぬ人の子であるばかりか、「十字架を片刻も離さない敬虔なクリスチャン」である！　本人からこのことを告白されて、米大統領は驚かされ、感激してプーチン観を変えたのだった。

このとき以来、両大統領はブッシュ側の提案にもとづいて互いにファースト・ネームで「ウラジーミル」、「ジョージ」と呼び合う仲になった。ブッシュ大統領がこの会見後に感激のあまり口にしたつぎの言葉は、あまりにも有名な一句になった。「私は、この男［プーチン］の目をじっと見た。［すると］彼が信頼に足る人物であることが分かった。私は彼の魂を感じとることができたのである」。イギリスの有名なクレムリン・ウオッチャー、ロックスバフ（元『サンデー・タイムズ』、BBCなどのモスクワ特派員）は、この発言を引用したあとで辛辣きわまるコメントを加える。「ブッシュは、プーチンの釣り針に見事に引っ掛かったわけだ」。

モンゴルの軛

ロシア人やロシア社会の性格に影響をあたえた歴史的な体験として、もうひとつ、是非とも指摘せねばならないのは、モンゴル（蒙古）・タタール（韃靼）の支配である。タタールというのは、モンゴルに従ってきたトルコ系の住民の子孫を、当時のヨーロッパ人が呼んだ名称である。ロシアは、一三世紀のはじめジンギスカンを総指揮官とするモンゴル軍による襲撃を受け、ついに一二四〇年、その軍門にくだった。そして、一四八〇年にいたるまで何と約二四〇年間ものあいだ、その支配下におかれた。ロシア民族がその間、いかに異民族の支配に苦しみ、かつ深甚な影響を受けたか。ちなみに、これはわずか五年、しかも例外的に寛大な米軍占領の経験しかもたぬ日本人には、まったく想像しえない類いの事柄だった。それは、まさに「軛（くびき）」と呼ばれるにふさわしい苛酷な体験だった。ベネディクト・サマーというロシア史学者の表現によれば、「ロシア人の記憶のなかにおいては、タタール人とは、一体何か。それは、長らくのあいだ、すべての敵の化身なのだった」。タタール・モンゴルが、ロシア人によっていかに憎まれ怖がられる存在であるか。そのことを伝えるロシアの諺のひとつはいう。「招かれざる客は、タタール人よりも始末が悪い」。

もともと城塞を意味する「クレムリン」、コサック騎兵隊の「カザック」、貨幣を意味する「デェーンギ」、ルーブルの下の小銭の単位「コペイク」、等々。これら現在も用いられているロシア語は、トルコ・タタール系に由来する言葉である。モンゴルの場合は、ビザンティンの場合と少し異なり、そのロシアにたいする影響は、宗教的、文化的なものというよりも、むしろ主として政治的、行政的な類いのものだった。ロシアは、モンゴル民族から、税金の集め方、人口統計のとり方、情報・検閲のやり方、軍役、財政、郵便の諸制度などの分野で大きな影響を受けたのである。

「タタールの軛」がロシアに捺(お)した刻印の最大のものは、統治法だった。アジア草原の遊牧民族たるモンゴルは、多種多様の諸民族が棲息する広大な地域を単一の中心から統治する術をロシア人にのこしたのである。それは、一言でいうと〝専制支配〟という方法だった。ヒュー・シートン＝ワトソンというイギリスの学者は、「もし、タタールの征服以後のロシア史を貫く一本の糸は何か——こう問われるならば、それは専制政治だと答えてよい」と書いている。ことほどさように、モンゴル系タタール民族の統治スタイルが、その後のロシア政治にあたえた影響は大きかった。

右は、ロシアから欧米諸国への亡命者、ジョージ・ヴェルナツキイ（イェール大学教授）、日本の故岡田英弘（東京外国語大学名誉教授）らが強く主張する見解である。これにたいして、「モンゴルがロシア史にあたえた影響はそれほど大きくない」と説く専門家たちもいる。たとえば、ニコラス・リヤザノフスキイ（カリフォルニア大学バークレー本校教授）や栗生(くりう)澤猛夫(ざわたけお)（北海道大学名誉教授）らの見解である。栗生澤氏らは説く。ロシアは「タタールの軛」以前の時期から専制制度をとっており、モスクワが強力な国家を創出しえたのは、ほかならぬモンゴル支配に抗し、その支配を跳ね返すことにあった。その意味で、モンゴル支配はロシアにとり「軛」だった、と。しかし、学術書をめざさない本書では、両学説の対立にはこれ以上深入りしないことにしよう。

ともかく、モンゴル族は、後につづく政治支配者たちに、統治のための制度やテクニックをのこしたばかりではなく、人民大衆に無条件的服従の原理を教え込んだ。すなわち、モンゴル国家は個人の集団にたいする絶対的服従の原理にもとづいて形成されており、個人はまず己の属する部族に服し、ついでその部族への忠誠を通じて全体国家に服従するよう教え込んだ。裏返していうと、集団の意志が最高で、個人のそれは、二の次、三の次ということである。

もしそうだとすると、それはビザンティンから伝来したギリシア正教の教えと大して変わらないことになる。ビザンティンの教えも、タタールの国家原理も、結局は同じことを言っているに過ぎない。したがって、ある学者は、ロシア政治の伝統がビザンティンとタタールの双方に由来することを、つぎのような詩的（?）な比喩を用いて表現している。「ロシア史のなかで、受身の母はビザンティンの保守主義であり、その母を身ごもらせた父は、タタールの侵入である。そして、その結果生まれ落ち、育ったのが、ロシアの政治だった」。他のロシア史家、アナトール・マズアーは、より端的にのべる。「ロシアの専制的伝統は、タタールとビザンティンの両方の起源に由来する歴史的遺産である」、と。

ロシアへ及ぼした〝アジア的影響〟

モンゴルのロシアへの影響に関連して、一言つけ加えておきたいことがある。それは、モンゴルを通じてのロシアへの〝アジア的影響〟についてである。

共産主義の父であるカール・マルクスとフリードリッヒ・エンゲルスはドイツ人であり、ある意味では骨の髄までヨーロッパの人間だった。それゆえに、彼ら両人の思想を〝西洋的〟共産主義と呼ぶこともできるだろう。それにくらべ、ロシアや中国における種々の特殊性を考慮に入れて、正統マルクス主義をそれぞれの土壌に接ぎ木しやすいように変型したレーニンや毛沢東の思想を、〝東洋的〟共産主義と呼ぶことも可能だろう。

呼び方はどうでもよい。要するに、マルクス、エンゲルスはヨーロッパ中心の世界に生き、ヨーロッパ諸国を主な対象として社会発展のモデルを模索した。彼らは、他方でロシアを後進的で、ヨーロッパの枠に納まらぬ〝半アジア的〟な社会とみなしていた。彼らは、ロシア社会がモンゴルの支配などによって特殊な〝半アジア的〟性質、とくにその政府には東洋的専制的性格が色濃く見出されると考えた。そのような理由から、ロシアを、彼らがヨーロッパの諸国を念頭においてつくりつつあった社会発展法則のいわば適用外のようにすらみなした。ところが、歴史は皮肉である。そのような後進国の〝半アジア的〟たるロシアが、地上初めての「共産主義ないしは社会主義」体制を実験することになったのだから。おそらく地下のマルクス、エンゲルスも、さぞかし仰天したに違いない。もっとも、一九一七年に誕生し、そのあと約七〇余年にわたって存続したソビエト体制が、果たしてマルクスやエンゲルスが夢みていた類いの正統な共産主義あるいは社会主義のそれだったのか――これはまったく別問題だろうが。

右のような展開は、必ずしも歴史の皮肉ではなかった――このような見方も十分成り立つ。ロシアはまさに後進的であり、アジア的であったがゆえに、そこでソビエト型ないし括弧つきの「社会主義」が誕生、しばらくのあいだ存在しえた。こう考えるほうが、むしろ辻褄が合う見方ではなかろうか。つまり、「共産主義――」。これは、裏返されたロシアの専制主義である」（アレクサンドル・ゲルツェン）といった見方は、かなり的を射た言い方といえないだろうか。もしそうだとすると、やはり、「タタールの軛」もまた、ギリシア正教と同様に、ソビエト型「社会主義」を助けた。このようにもいえるかもしれない。つまり、二四〇年に及ぶその支配により、中国の「水利社会」（カール・ウィットフォーゲル）の特徴であった「東洋的専制主義」をロシアに伝達、媒介、搬入、植樹する役割を演じたという意味において。

話が、少し理屈っぽくなりすぎた。もう少しやわらかくしよう。モンゴルがロシア、そして後世の「社会主義」にのこしたもののなかで、最大のものはウラジーミル・レーニンという人物だった。ひょっとすると、このようにいえるかもしれない。読者は、どこかでレーニンの写真をみたことがあるだろう。レーニンの数々の伝記を読むと、その高い頬骨、釣りあがった目、黄褐色で扁平な丸顔、小柄な身長——これらの身体的な特徴のどれをとっても、レーニンがモンゴル系の血（父方）をひいていることは、まず疑いえないという。母方にユダヤの血を含むか否かにかんしては、専門家のあいだで論争されている。レーニンの母が少なくともドイツ系であることは、まず間違いない事実のようである。

だとすると、レーニンその人において、アジアとヨーロッパの二つの血が結合している。さらに象徴的にいえば、レーニンの思想や行動のなかに、ヨーロッパとアジアの妥協、折衷、調和が見出されるのも、宜（むべ）なるかな——。こう合点されるひとつの理由となるかもしれない。

干渉、包囲、封じ込め

この本は歴史的な叙述を本来の目的としている書物ではないので、これ以上、歴史的な諸事件にページを割くわけにはゆかない。ソビエト時代になってからの歴史的体験としては、つぎのことを指摘するにとどめよう。一九一七年のボリシェビキ革命によってソビエト政権が生まれたあと、英、米、仏、独、日などの列強がロシア国土に上陸し、ソビエト政権打倒の目的をもって白軍側を支援、「干渉」戦に従事した。一九二〇年代になっても、西側諸国によるソビエト政権の「不承認」状態が長らくつづいた。三〇年代、資本主義諸列強による「包囲」に脅（おび）えたスターリンは〝一国社会主義論〟を唱え、ヒトラー・ドイツとすら提携するにいたった。第二次世界大戦終了後の四〇年〜五〇年代も、米国を中心とする対ソ「封じ込め」政策の時代がつづいた。冷戦終了後になっても、北大西洋条約機構（ＮＡＴＯ）は解散されずに、逆に旧東・中欧圏諸国の加盟を認めて、事実上の反ロ「包囲」網が形成されようとしている、……云々。

これは、ロシア側の言い分をそのまま紹介した見解である。ロシア側に都合のよい一方的な歴史の陳述であり、反論することが十分可能だろう。とはいえ、相手側の立場に身をおいて考えるという態度を貫くならば、ロシア人が右のような被害者意識ないしは被包囲意識から外部世界を眺めがちである傾向は、われわれの頭に入れておいてしかるべきロシア史の側面には違いなかろう。

第2章 性格

自由を求め、かつ混沌を嫌う二面性

ロシア人にひそむアナーキズム

第1章でかなり長々と説明したロシアの地理、気候、歴史などの諸要因から、では一体どのようなロシア人の性格が形成されたのだろうか？　ロシア人の国民的性格の代表例とみなされるものを、二、三、具体的に紹介することにしよう。

ロシア的国民性のきわだった特徴として、まずあげるべきは、互いに矛盾する二つの欲求の同時存在だろう。ひとつの欲求は、ロシア人が、その内面生活において何事からも何人からも束縛を受けたくないという強い気持ちを抱いていることである。ロシア人は、どのような外部からの束縛も受けずに己の心身を伸ばしたいと望む欲求が、他の諸民族にくらべより一層強い。バーナード・ペアーズの言葉をもう一度引用すると、「ロシア人は、空間（スペース）をたのしむ。何よりも好きなのは、肘を伸ばしうる余地――何らの強制もなしに活動しうる余地である。彼らはつねに強制を避けようとしている」。

このような希求は、政治思想としては、アナーキズム（無政府主義）の土壌をはぐくむことになる。無政府主義といえば、ミハイル・バクーニン、ピョートル・クロポトキン、ドストエフスキイ、トルストイといった人々の名前がすぐ思い浮かぶだろう。だが、こういう有名人ばかりとはかぎらない。ふつうのごく平凡な無名のロシア人のなかにも、アナーキストとしての要素が十分ひそんでいる。

精神的アナーキストの伝統は、ソビエト期の反体制知識人たちのなかにも、見事に受け継がれている。ソルジェニーツィン、サハロフ、ジョーレス・メドベージェフ、ロイ・メドベージェフ兄弟らの異端者たちは、彼らのあいだで互いに論争し、分裂し、決して相互に妥協したり団結したりしなかった。彼らは、その結果として体制側によって利用される分裂という政治的結果を招いている事実にかんして無頓着だった。

しかし、アナーキスティック（無政府主義的）なまでに心身を自由奔放に伸長したいという欲求ばかりがロシア人の特徴なのではない。ロシア人のなかには、この衝動のかたわらに実は奥深い不安感がひそんでいるのだ。この不安感は、厳密にいうと自分自身にたいする不安感と外的世界にたいする不安感の二つに分かれる。ともにロシア人が真の自信を欠くことに由来する。対外的な不安については後にのべることにして、まず対内的不安のほうを紹介しよう。

自由にたいする不安

対内的な不安感とは、右にのべたような拘束を極度に嫌う己の内的衝動を抑えないで野放図に放置するならば、一体どうなってゆくのか自分にも分からない——といった懸念に他ならない。つまり、ロシア人は、一方で飽くことなく自由を希求しながら、他方では一体、果たしてそれでよいのかと心配しているのである。

ロシア文学作品に出てくる実に多くの主人公たちが、この種の不安に悩んでいる。ドストエフスキイの名作『カラマーゾフの兄弟』の長兄ドミートリイは、その典型例だろう。溢れるような生命力と情熱の持ち主たるドミートリイは、そのような己の欲望充足にそのまま身をゆだねてよいのかと問うもうひとつの自我をもち、つねに両者間の葛藤に苦しみつづけている。イギリスの精神病理学者ディックスは、ロシア人という同一人格内に、このように矛盾する感情や衝動が同時存在する事実を、つぎのように描写している。むずかしい文章であるが、ちょっと辛抱して読んでいただきたい。

「ロシア人は、つぎのような感情を往き来している。

一方において、〝なにごとにでも手を出す〟旺盛な欲望。ものごとに突進して、〝まるごと鵜のみにする〟傾向。手っとり早く、しかも十分な満足感を味わおうとする欲求。病的なまでになにごとでもなしうるという感情。無限にまで仕事しうるという楽天的信仰。溢れんばかりのバイタリティー。自発性。一切の義務や束縛を断ち切ってしまいたいというアナーキーな欲求。

他方において、憂うつ、無関心、節約、閉ざされた心、猜疑性、服従性、道徳的な被虐性。強力な専制的権威をロシアの厳しい自然にたいする唯一の防波堤と考えて、しぶしぶながらも理想化する傾向」

『ニューヨーク・タイムズ』の元モスクワ特派員、ヘドリック・スミス記者も傑作『ロシア人』（一九七六年）のなかで、ロシア人に見出される同種の二面性を指摘している。「ロシア人は、国民として、禁欲的で、かつロマンチックであり、苦しむ殉教者である。かつ同時にわがままな快楽主義者なのである」（高田正純訳）。

二極性のルーツ――その説明法

右に紹介したようなロシア人に見られる情緒不安定、もしくは両極端の感情や衝動のあいだを振り子のように往き来する性格を生み出した背景は、一体何だろうか？　研究者たちによって数々の説明が試みられている。前章ですでにのべたことと部分的に重複するかもしれないが、復習の意味からも、それらのいくつかを紹介してみよう。

まず〝地勢学的〟説明法。ロシアの国土は大ざっぱにいって、さきに触れたように草原と森林の二つから成り立っている。南部の草原地帯に住む遊牧民は、豊かな牧草や温暖な気候を求めて自由、気ままに放浪する習癖をはぐくんでいった。他方、北部の森林地帯には主として狩猟民族が棲息し、自己規律によって厳しい自然と闘う知恵や方法を身につけざるをえなかった。この二つの自然、二つの地域に住む人々が混合、融合して、ロシア人が出来上がった。したがって、同一ロシア人のなかにも二つの相矛盾する性向が存在していわば当然。このように説明する。

〝気象学的〟説明もある。厳しい荒々しい自然は、人間にねばり強さ、エネルギー、力を賦与する。と同時に、とうてい闘争相手となりえない自然は、人間に忍従、諦めの必要性を教える。前者は、人生は闘争の連続だと教え、後者は、しょせん圧倒的な力にたいしては敵わず、結局は「長いものには巻かれろ」との知恵を授ける。

〝文化的〟説明もある。ロシアをつくっている二つの文化、すなわちヨーロッパ文化とアジア文化の葛藤である。ロシアは、ヨーロッパとアジアがあいまみえる東西の架け橋である。たしかに重心はヨーロッパ部分にあるとはいえ、ロシアは、依然としてその肉体においても精神においても二重人格で、まさしく〝ユーラシア〟と呼ばれるべき存在。ロシアが生んだ最大の文豪のひとり、レフ・トルストイは記す。「ひとつのロシアは、その根をヨーロッパの文化のなかに降ろしている。このロシアにおいては、善良、名誉、自由の理念が、ヨーロッパにおけると同様に理解されている。しかし、それとは別箇のロシアがある。すなわち、暗い森林のロシア、原始林（タイガ）のロシア、動物的なロシア、狂信的なロシア、モンゴル・タタールのロシアである。後者のロシアは、専制主義と狂信主義をその理想に掲げさせるのである」。

〝文化人類学的〟な説明法もある。ロシア人の性格にみられがちな二重性は、ロシア人独特な育児法に由来すると説く。ロシア人は、ふだんは防寒と安全の必要上、赤ん坊を毛布で顔だけ出して頭から足まで固くぐるぐる巻きにしてしまう。文字通り手も足も出ない状態にする。授乳、入浴、大小便のときにだけ、これを突如としてほどく。私の長男はモスクワで生まれ育ったので、私自身が見聞、確認したが、この伝統的ぐるぐる巻きは、今日も、ほぼ変わりなくおこなわれているロシア式育児法である。ともあれ、このような幼児期の体験、つまり自由の剝奪↓充足のサイクルが、ロシア人の循環心理を形づくったと言うのである。たしかに、ほとんどたいていの場合は従順で受動的な忍耐心をしめすものの、ごく稀に暴力的な爆発を起こすロシア人――その背景事由を、うまく説明した理論ではある。

では、以上のさまざまな説明法のどれが、もっとも妥当なのだろうか？　思うに、ロシア人がもつ以上のような二重性のルーツを単一の事由に帰してしまうのは、必ずしも適当でないだろう。それは、地勢、自然、気候、歴史、家族、育児等々、複合的な要因にもとづいて形成されてきたと、みなすべきだろう。

ともあれ、ロシア人は相反する二つの衝動をもち、二つの本能と闘っている。すなわち、一方で、なにものの束縛も受けたくないというアナーキーなまでの自由志向の衝動。他方、そのような衝動に身をまかせて飽くことなく自由欲求を充足すれば、ロシア社会には無秩序と混乱がはびこり、おそらく自身も果てしなき欲望のとりことなって自己破滅すら導きかねないのではないかという危惧。たとえば、現在、プーチンの強権的な政治をロシア国民が概して支持している理由は、ゴルバチョフ、エリツィンという二大前任政権下にロシアが一部自由化し、民主化したことそれ自体は良かったものの、その代わりに社会全体は大混乱に陥り、混沌（カオス）とアナーキーが招来されたという苦々しい体験にもとづく。もし今日、「あなたは、自由、規律のどちらを望みますか」と尋ねられるならば、後者と答えるロシア国民は八〇％台にも達するだろう。

ただし、右にのべたロシア人のなかにみられる相反する二つの性向は、大ざっぱにいうとインテリと大衆ではその濃淡を、つぎにのべるように大いに異にしている様子である。

インテリゲンツィアの葛藤

インテリゲンツィアにおいても、右に紹介した二つの衝動のうち、後者、すなわち自己および他人のなかにひそむアナーキスティックな欲求を危惧し、それを抑制し、閉じ込めねば大変なことになりかねないとの懸念が存在する。彼らは使命感に駆りたてられ、強い意志をもって己の際限なき欲望を超克しようと試みる。と同時に、他人も同様の努力をおこなうよう期待し、ときには強制を加えようとすら試みる。そうしなければ、ロシア国家や社会におよそ統一というものを期待しえず、いたずらに外敵の侵入を招き、異民族の支配と蹂躙に身をゆだねねばならぬだろうことを憂慮するからである。

もともとロシア語から発生した〝インテリゲンツィア〟という言葉は、日本語における「青白きインテリ」という用法から想像される内容のものではない。必ずしも人間の出自、教育、職業に着目する概念ではなかった。ロシアにおいてインテリゲンツィアとは、その人間が自身の高い理想や使命感を抱くとともに、その使命の実現のためには全生命を賭けて闘う準備や姿勢をもち、かつ闘いを実践中の知識人を意味する言葉だった。

ところが改めていうまでもなく、己との闘いほど辛いものはない。それは、無限の葛藤と闘争の連続である。強靱な意志力の持ち主であるごく一部の〝インテリゲンツィア〟を除くと、並みの人間が到底なしうるところではない。したがって、大部分のロシア人は闘いからの逃避という安易な方法に走りがちになる。すなわち、ロシアの大衆は他律的方法、つまり自己よりずっと大きく強いものによって規制してもらうほうが手っとり早く、楽でさえある。こう考えて、エリート（選良）や国家の規制と措置に従うことに同意する方法を選ぶことになる。ドストエフスキイは『カラマーゾフの兄弟』のなかで、自由がもつ重荷や責任から逃れたいという、人間誰しも程度の差こそあれ内に秘めている欲求を、つぎのように鋭く描く。「人間という哀れな動物は、もって生まれた自由の賜物を、できるだけ早くゆずり渡せる相手をみつけたいという、強い願いだけしかもっていない」。

レーニン主義の真髄

ついでながら、まさにこのようなロシア的性格を根底に見すえてつくり出されたのが、レーニンの思想に他ならなかった。すなわち、レーニン主義の真髄は、ロシア大衆のいわば自然発生的な自己救済能力を認めようとしない点にある。彼らは、鉄の意志をもった一部少数のエリート（「前衛」）による人為的な努力ないし強制によってはじめて、ある程度目覚めることが期待される存在だといえる。俗っぽい表現をおこなうならば、〈私―導く人、君―導かれる人〉――これが、レーニン主義的「前衛」ないし「選良」思想の核心にある考え方といってよい。

しかし逆にいうと、これはどうであろう。「前衛」ないしエリート側に課せられた〝闘い〟の使命たるや、並大抵の類いのものではない。ボリシェビキ革命の有力指導者のひとりだったレオン・トロツキイが好んで引用した語句は、つぎのようにきびしい言葉だった。「われわれの革命は、……わがロシア史の農民的なルーツに反逆し、ロシア農民の無定見およびその無目的性格に反逆し、トルストイ作『戦争と平和』に出てくるプラトン・カラターエフ（ロシア農民を一身に体現したとみなされる人物——木村）の愚かな哲学に反逆するところの意識的で、合理的で、合目的で、ダイナミックな生活原理の名における闘いなのである」。

レーニンは、ロシアの〝インテリゲンツィア〟の伝統を継承する典型的な人物だった。みずからをしてソビエト〝エリート〟の模範たらんとして、己の感情を制御し、仕事に没頭する鉄の意志力をもつ人間へと鍛えあげるという使命を、もっとも厳しく自分に課し、かつ実践した人物であった。

レーニンは一八九八年、シベリア流刑中に母と姉に宛ててつぎのような文章を書きおくった。「私は、ほとんど勉強していません。多くの時間を怠惰に過ごしています」と。これは、伝記作者ロバート・ペインによれば、レーニンが五三年間の生涯でわずか一、二度吐いた珍しい弱音に過ぎなかったという。このことを裏返しにしていうと、レーニンは、「全生涯を通じて、自己の性格を政治的要求に合致させるために、己の手でみずからの感情の外科手術をおこなっていた」。このことをしめす有名なエピソードを、二つばかり紹介しよう。

その一。レーニンは、流刑中、チェス（西洋将棋）に凝っていた。一時は熱中のあまり、「相手がクイーンをこう動かしたら、自分はキングをこう動かそう」と寝言にまでいうほどだった。ルイス・フィッシャーは、著書『レーニン』のなかで、「もしレーニンが革命家にならなかったら、チェスのチャンピオンになっていたかもしれない」とさえ書いている（猪木正道、進藤栄一訳)。それにもかかわらず、シベリア流刑後はそれほどまでに熱中していたチェスを、レーニンはぴたりと絶縁した。ヨーロッパにおける長い亡命生活のあいだにも、レーニンはほとんどチェスの駒を手にしようとしなかった。その理由がふるっている。「チェスは精力を使いすぎて、仕事の邪魔になる」(ダヴィッド・シューブ『レーニンの生涯』)。

その二。レーニンは、生来の音痴、かつ音楽の趣味に欠ける人だったとはいえ、ベートーベンのピアノ・ソナタを聴くことをひじょうに好んだ。ことに「アパッショナータ(熱情)」には、心から感動した。ところが、友人マキシム・ゴーリキイが書いた『レーニンとの日々』によると、レーニンは遂にその「アパッショナータ」にすら耳を傾けることを断念せねばならないと決心して、その理由をつぎのようにゴーリキイに語った。「私は、〝アパッショナータ〟ほど偉大なものを知らない。私は、いつも、誇りをもって考える、人類はなんと素晴らしいことをなしうるものであろうと！　しかし、私は、音楽にあまりしばしば耳を傾けるわけにはいかない。音楽は、われわれの神経を冒し、愚かで素敵なことを言いたくさせる。このような非道地獄に住んでいるにもかかわらず、そのような美を創り出しうる人々の頭を撫でたくなる。しかし、われわれは、誰の頭も撫でてはいけないのだ。何人にたいしても暴力を用いないのがわれわれの理想ではあるが、われわれは情け容赦なく人の頭を打たねばならない。そう、われわれの任務は地獄道のように辛い」。

中国には、「修身、斎家、治国、平天下」という有名な言葉がある。天下を治めるには、まず自分の身を修め、つぎに家庭を平和にし、つぎに国家を治め、最後に天下を治める――この順序に従わねばならないという意味である。アメリカの元共産党員で、のちに『革命をつくった三人――レーニン、トロツキイ、スターリン』という優れた伝記を書いて亡くなったバートラム・ウルフによるレーニンの解説を読んでいると、この中国の教えを奇しくも地でゆこうとしたのが、レーニンその人ではなかったのか。このような思いを禁じえない。レーニンはまず「自己改造の冷酷な青写真」をつくった後、「ロシア国民、それから全人類の改造のための青写真」をつくったのではなかろうか。ウルフは、こうのべているからである。常人には真似のできぬまさにすさまじいまでのレーニンの禁欲と自己超克ぶりだといえよう。

エリートの責務

レーニンほどではないにせよ、ロシア、ソ連、そして再びロシアで成功したエリート、すなわち選ばれた者の側に立つには、大なり小なりレーニンが己に課した規律に似た意識的な自己抑制努力が肝要との考え方が存在する。ソビエト文学作品に、ウラジーミル・ドゥージンツェフの『パンのみによるにあらず』というのがある。そのなかで成功したエリートのドローズドブは、妻に向かってつぎのように語る。「どこに首を突っこもうと、おれはいたるところで、生き生きした、やさしいものにぶつかるんだ。だから、おれには、かたつむりみたいに、殻が必要なんだ。この殻というのは——強固な意志なんだよ。それは、人間のなかの積極的な性質なのだ。それが、人間を抑制するんだ。そして、おれは、自分を枠のなかにいれている。……おれは、全身いっぱい覆われている。おれの上には、うろこや貝殻がついている。だが、共産主義の建設者として、おれは認められているし——またそれにふさわしい位置にもある」（山村房次、久野公訳）。

このような「前衛」ないしエリート側での厳しい自己抑制努力を前提し、想定するレーニン主義は、ロシア人大衆に存在する怠惰、放縦、無規律にたいする明らかな反動として生まれた。その意味で、レーニン主義は、ロシア的性格やロシア的風土の伝統で決して異質な思想ではなく、むしろそのなかから生まれるべくして生まれたイデオロギーだったといえよう。

矛盾こそロシアの核心

以上、説明してきたように、〝インテリゲンツィア〟ないしエリートの場合は「自由の克服」、大衆の場合は「自由からの逃走」というように、その解決方法に若干の相違がみられる。とはいえ要するに、ロシア人が己が有する自由の一部を制限することに同意する点では、エリートも大衆も結局のところ大きく変わらない。考えてみると、当初、他の民族よりも一層多くの自由を要求したはずのロシア人が、結局、自由の制約を受け入れることになる。これは、たしかに皮肉であり、逆説的である。だが、この矛盾は事実なのだから仕方がない。

いや、この逆説（パラドックス）こそが、ロシア人の国民的性格の核心でさえあるのだ。この反対感情の同時存在やその逆説的な解決法を、西欧流の合理的思考の立場から拒否することは、ロシア人の理解を頭から、そして永遠に断念することになりかねない――このようにすら評さねばならないだろう。革命前の思想家、ベルジャーエフは、このことをつぎのように強調している。ロシアは、二律背反の国である。ロシアの魂のうちにひそんでいる神秘の解明に近づくには、ロシアの不気味な矛盾をそっくり認めねばならない。ベルジャーエフはこのような自説を強めるために、ロシア一九世紀の詩人、フョードル・チュッチェフの有名な一句を引用する。

「智恵でロシアはわからない
　物差しで測りもならず
　彼女（＝ロシア）の容姿は一種独特――
　ロシアは信ずるほかに途がない」

ギガントマニア

ロシア人の国民的性格の特徴としてつぎにあげたいものは、第一の特徴としてこれまでのべてきた性格と密接に関連し、むしろそのつづきとさえいえるものである。それは、多くのロシア人にみられる〝巨大病〟癖である。

広大無辺の土地、人間を圧倒する厳しい気候、弱肉強食の「ジャングルの掟」が支配する森林、等々——。これらの自然条件は、ロシア人に自己を超える圧倒的に強く、巨大なものの存在を教えた。逆に、これらの自然は、個々の人間がいかに小さく、無力で、頼りなく、卑小であるかということも教えた。ペアーズは『ロシア』のなかで書いている。「この大きな国に住むロシアの人々は、国土が大きいという本能をもっている——と同時にまた、個々の人間が小さいという本能も」。

小さな個人は、巨大な存在にたいしては、小細工を弄して刃向かっていっても、しょせん勝ち目はなく、結局のところ打ち負かされるだけである。そうだとすれば、むしろ巨大な存在に服従し、積極的に身をゆだね同一化を遂げさえした——こう思い込むほうが、気持ちがはるかに楽だろう。そうすれば、強いもの、大きいものがおこなうすべてのことを、自分のおこなうことだと同一化することすら可能になろう。このようにして、自己にくらべてより大きいもの、より一層強いものにたいする恐怖が転じて、絶対的な崇拝や憧憬の気持ちが形づくられる。もっとも、ロシア人の崇拝や憧憬の対象となるべきものは、中途半端な大きさや強さのものであってはならない。図抜けて強く、圧倒的に巨大な存在でなければならない。端的にいえば、ナンバー・ツウでは駄目で、圧倒的なナンバー・ワンでなければならない。

ロシア語では、ジャイアント（巨人）のことを〝ギガント〟という。ロシア人は、本当にギガント好き、ギガントマニア（巨大癖）の病にかかっている。ロシア人が〝ギガントマニア〟の傾向をもつことをしめす症状は、いくらでも転がっている。モスクワに一歩足を踏みいれると、たちまちにして目にとびこんでくる群を抜いて高い高層建築が五つばかりある。モスクワ大学、外務省、ウクライナ・ホテルなどのビルディング。文字通り天空に向けて屹立している。天まで届くような絶大なる権力を欲したスターリンを象徴しているかのようだ。実際、スターリン時代の産物である。おそらくスターリン個人ばかりではなく、ソビエト市民にもアピールするからだろう。

そう思われても仕方がないほど、ロシア人には、ずば抜けて高い、大きい、強いものを手放しで崇(あが)める傾向がある。この性向が、続いてのべるこれまた並はずれた愛国心と結びついて、なんでも世界一にならないと気がすまない傾向を助長することになる。

赤の広場へ行ってみよう。クレムリンもまず大きいことが、モスクワっ子の自慢の種である。クレムリンのなかへ一歩足を踏み入れてみるがよい。庭のなかの名物は、鐘の「王様」と大砲の「王様」。しかも、ともに実際使用するためではなく、誇示することが主目的でわざわざ陳列用につくられたものだという。

大きいことは良いこと

クレムリンの庭から出てくると、目に入る馬鹿でかい建物がある。ヨーロッパ随一とも世界一ともいう規模を誇るゴスチーニツァ（ホテル）〝ロシーヤ〟である。高橋正夫妻や磯田定章氏のモスクワ滞在記は、このホテルの大きさをつぎのようなアネクドートによって紹介している。「ホテルの西口では雨でも、東口では晴れ」。「東口から一人で中に入った生娘（きむすめ）が西口からは赤ん坊を抱いて出てきた」。

このホテルほど張り子の巨人（？）を象徴しているものは、他にちょっと少ないだろう。図体の大きさとその非能率の二面性をしめしているからである。ソ連時代にモスクワ滞在中の私は、アテンドせねばならない日本人客がこのホテルに投宿する予定を知ると、厭な気持ちがしたものである。なにしろ同ホテルには、三〇七六室、世界最大の五七三八のベッド、九つのレストラン、二〇のカフェテリア、六つの宴会場がある。それにもかかわらず、東西南北の四つの棟の各受付は、相互間の連絡というものをまったく欠いていたからだった。日本からのお客や代表団一行が一体どこの棟のどの部屋に割当てられようとしているのか、手っとり早く知る方法は、少なくとも当時はまったくなかった。仕方なく、四つの受付を順次マラソンしつづけることになる。その廊下の総延長がなんと一六キロメートル。「日本の一学者が、自分を派遣してくれた財団の理事長との大事な夕食の約束の場所であるホテルに一時間も遅れた」という記事を読んだことがある。その約束の場所がホテル〝ロシーヤ〟と知って、私はさもありなんと御同情申し上げた。教授も、おそらく一時間ばかりジョギングを強いられておられたのだろう。

このように大きいものの自慢話ばかり聞かされるのに厭気がさして、モスクワを離れることにしよう。しかし地方を旅行しても、事情はさして変わらない。やたらインツゥーリストのガイド女史たちに聞かされるのは、やれ、これは世界一の発電所、またはダムだとか、全長何メートルの戦勝記念像だとか……といった図体の大きいことの自慢話ばかりなのである。モスクワのオスタンキノのテレビ塔は高さ五三三メートルで、パリのエッフェル塔（三一二メートル）や東京タワー（三三三メートル）を抜いて世界一の塔（当時）となった。

たしかに、大きいものに憧れる気持ちは、どの国民にもある。しかし、ロシア人の場合は、どうやら他の国民と同じというだけでは済まされない類いや程度の代物のようなのである。米国人や日本人のあいだでは「大男、総身に知恵が回りかね」とのべて、巨大なものを馬鹿にしたり、警戒したりする拒絶反応もみられる。また、たとえば米国でビッグ・ガバメント、ビッグ・ビジネスにたいして手放しの礼賛の態度はない。エルンスト・シューマッハーの『スモール・イズ・ビューティフル（小なるものは美なり）』（一九七三年）は、欧米諸国で流行語になった。ジョージアの片田舎出身のジミー・カーター大統領を選出した米国市民のあいだでも、アンチ中央、アンチ権力の心理がひそんでいたのではないか。日本人のあいだでも、たとえば田中角栄元首相の追い落としのさい、巨大で強い権力者にたいする警戒心が垣間見られた。良きにつけ悪しきにつけ、このような日本人の気分や警戒心が矮小な官僚型政治家しか輩出しえない政治的風土を形成してもいる一因なのかもしれない。

スターリン人気の秘密

ロシア人による巨大なもの、強いものへの渇仰は、人間（政治家）を対象とする場合にも明らかにうかがえる。ロシアには、古くから「クレープキイ・ハジャーイン」（「強い主人」の意味）という言葉がある。また、「ロシア人は、広い背中を必要とする」という諺もある。

ソ連時代の一時期、私はフルシチョフの政治の特徴を研究していた。ところが、まる二年間のソ連滞在中、そしてその後ほとんど数十回にものぼるソ連／ロシア訪問中に、同国でのニキータ・フルシチョフ党第一書記の人気はさっぱり高くなく、他人ごとながらガッカリしたものだ。フルシチョフは、レーニンやスターリンのエリート（前衛や幹部）偏重主義を改め、わずかとはいえ〝人民参加〟の原理を導入しようとした政治家だった。それゆえにロシア人民に感謝され、人気が高まって当然ではないか。私がそう考えたのは、どうやら浅薄な素人考えのようだった。どうやら人間の複雑性や非合理性を十分理解していなかったらしい。また、ロシア大衆のリアリスティックな政治感覚を甘く見くびっていたらしい。というのも、被治者は為政者にたいし自分たちのもとへ降りてきて、親しく握手したり愛嬌をふりまいたりする類いの庶民性などまったく求めていないからである。そのようなことより、彼らにとってはキューバ危機の折にしめしたフルシチョフの屈辱的な敗退ぶりなどのほうが、ずっと重要に思えるのだ。

「エセ人民主義者」をめざしたフルシチョフらにくらべ、ロシア人のあいだで圧倒的に人気が高いのは、スターリンに他ならない。スターリンといえば、ソ連国民を恐怖と暗黒のどん底に陥れ、一五〇〇万人ともいわれる犠牲者を出した大粛清やテロの張本人ではないか。しかし私は、トラックやタクシーの運転手がスターリンの写真をフロント・ガラスに貼って、モスクワの街を走っているのを数回、目撃した。

独裁者スターリンが、フルシチョフやブレジネフらにくらべ、なぜ人気があるのか？　その優れたモスクワからの報道ぶりによってピュリッツァー賞に輝いたスミス記者は、先にも引用した著書『ロシア人』で、つぎのように興味ぶかい話を紹介している。スミスも、私とまったく同じ疑問をもち、「なぜスターリンは、労働者や農民のあいだで隠れた人気をもち続けているのか」と尋ねた。すると、ブレジネフ政権下のソ連の一作家は答えたというのである。「スターリンは、人民大衆をほんとうに掌握していた。ロシアの大衆は、スターリンが国をつくり、戦争に勝ったと思っている。ところが、現在、大衆は、農業、工業、経済の全面にわたってとどまることを知らない不手際を目のあたりにしている。スターリンのようなタフな支配者がいたときにはそんなトラブルはなかったと、彼らは考える。人々は、当時もまた事態が決して良くなかったこと、そして、われわれが支払わねばならなかった恐ろしい代償のことを、すっかり忘れているのだ」（高田正純訳）。

二〇一六年に実施したロシアの独立系世論研究所の調査結果によると、ロシア人のあいだでスターリンを支持する人々の比率は三四％で、その理由はつぎのようなものだった。「スターリンは、仮にどのような誤りを犯したにせよ、彼が第二次世界大戦でヒトラーにたいするソビエトの勝利を導いた偉業は大きい」。

クワス的愛国心

要するに、ロシアにおける高いスターリン崇拝熱は、スターリンが指導して収めた対外的成功と密接に関連している。すなわち、スターリンは大「祖国」戦争を結局は勝利へと導いた偉大な功績者であり、領土や勢力圏を拡大し、ソ連を米国と並ぶ核の超大国へとのしあげたリーダーなのである。国際場裡におけるソ連邦の輝かしい威光の拡大――この偉業にくらべれば、対内的な失政などは少々大目にみても構わないではないか。荒っぽくいうと、これがロシア庶民のスターリン観なのだろう。ここで、どうしてもロシア人の特異な愛国心について一言説明を加えざるをえない。

およそ世界広しといえども、愛国心をもたない国民などありえない。要は、己の愛国心をあからさまに出すか、意識の奥に秘めてソフィスティケートな形で表現するか。この違いに過ぎないのだろう。

とはいえ、ロシア人ほど「愛国的」という形容詞抜きには語れない民族も珍しい。その愛国心の内容や表わし方は、ユニークとしかみなしようがない。つまり、それはきわめて自己中心的で、排外的で、泥くさい。山家育ちまるだしの、むきだしの愛国心そのものだからである。

ロシアには、クワスという飲みものがある。コカコーラに似ているが、もっと素朴で土臭い飲料水である。ロシアの街を歩いていると、タンクにクワスをつんだ車が停まっていて、渇いたのどを適度にうるおしてくれる。一九七九年末、ソ連がアフガニスタン軍事侵攻をはじめたために、一九八〇年ロシアで初めて開催された夏季五輪は、西側諸国（日本を含む）にボイコットされる羽目になった。その煽りをくらって、コーラがオリンピックの公認飲料水となりえなくなったために、「われわれにはコーラがなくとも、クワスがあるさ」とうそぶいた。ロシア人の愛国心は、〝クワス的愛国心（クワスノイ・パトリオチズム）〟と名づけると、よく理解できるだろう。要するに、都会的、洗練されたところがなく、農民的で野暮ったいのである。

ともあれ、ロシアの愛国心は、世界がまるでロシア中心に動いているかのようにみなしがちな独善的な代物である。その意味では、中華思想に似かよっている。ロシアが地理的にはヨーロッパの奥座敷に位置し、歴史的には大陸国として長らく事実上の鎖国状態を余儀なくされた事情にもとづくかもしれない。フランス、イギリス、ドイツ、アメリカなどのソフィスティケートされた先進諸国の文化、モード、ファッション、科学、技術にたいする拭い難い劣等感、不安感の裏返しともいえる。つまり、己に必ずしも自信を抱きえないために、ふつう自負心から生まれくるべき寛容、愛嬌、洗練さがややもすると不足しがちになるのだろう。

ニエ・クルトゥールヌイ

ついでながら、ロシア語には「洗練された」という意味での「ソフィスティケート」にあたる言葉が存在しない。それに近いロシア語を探すならば、「クルトゥールヌイ（文化的）」になろう。

「チェコに海軍省が設置されるという話だぜ」

「それはおかしな話だな、チェコには、海がないじゃないか」

「それでも良いんだよ。だって君、ソ連に〝文化〟省があるくらいだもの」

これは、一九六八年のソ連軍によるチェコ占領以来、ソ連戦車下に屈服を強いられていたチェコスロバキア国民が、うっぷんばらしにソ連人の「非文化的」国民性をからかった有名なアネクドートである。

粗野で、泥くさく、洗練されていず、「東方のクマ」とあだ名されるロシア人自身が、このような評判に気づいていないわけはない。それが証拠に彼らは、他人から「ニェ・クルトゥールヌイ（文化的でない）」と批判されることを、極度に嫌う。『ロシアより愛をこめて』は、ジェームズ・ボンドの００７シリーズのなかで映画としては最高の出来のように思われる。同作品のなかで原作者は、ジェームズ・ボンドを誘惑する密命をおびたロシア娘タチアーナに、「そんなのは、文化的でないわ」という台詞を四度も口にさせている。作者イアン・フレミングもなかなかのロシア通だわいと、私は感心したことを憶えている。彼女が三度つづけて口にした一場面を紹介しよう。

　ボンドが、ホテルに戻ると、自分のベッドに美しい先客タチアーナが、シーツをのぞけば生まれたままの姿で横たわっていることに気づいた。「冗談じゃないぜ。タニア。ほかの着物はどこへやった？　それとも、そんな格好でこの部屋まで降りてきたのかい？」「あら、ちがうわ。そんなの文化的でないでしょう。着物はベッドの下よ」「ふうん、もしこのままこの部屋を出ていくつもりなら……」「文化的でないことをいうわね」「そうかね。では文化的なことを話すかね、きみはたしかに、世界でもいちばん美しい女の一人だよ」（井上一夫訳、傍点、木村）

　ブレジネフ期の一九七〇年代、私ども外国人のモスクワ長期滞在者は、外国人用に特定された宿舎だけに住むことを許されていた。宿舎の周囲には、垣根がはりめぐらされたうえ、入口には四六時中ミリツィオネール（民警）が立っていた。〝保護〟という名目下におこなわれる〝監視〟活動以外の何物でもなかった。ロシア市民との接触を防止するための体のよい隔離政策だった。私どもは、ミリツィオネールが嫌がらせをするたびに、馬鹿の一つおぼえよろしく「エータ、ニェ・クルトゥールヌイ（そんなことするなんて、文化的でないよ）」といい返して、よくうっぷんを晴らしたものである。

いうまでもなく、「文化」を口にすることと、「文化」的なふるまいをすることは、同じではない。ロシアが「文化」省や「文化」宮殿をつくってみたところで、ロシア人のおこないが一夜にして「文化的」なものへと変わるはずはない。――ちょうど軍事的に敗れた戦後の日本が一転して「文化」国家への再生を決意して、「文化」人たちがありとあらゆるもの（お鍋まで！）に「文化」の名を冠してみたり、「文化」の時代到来と音頭をとったりしてみても、少なくとも即席の効果があがらなかったように。

では、真に「文化的」なおこないとは、一体どのようなものを指すのか？　いろいろな風に定義しうるだろうが、少なくとも己にたいする本当の自信に裏づけられ、ごく自然ににじみ出てくる行為でなければならないだろう。自信を欠いていると、他人を思いやり他人に譲るというエチケットも、他人と共存してゆくというルールも、しょせんつけ焼刃の贋物に終わることが多いからである。

われわれのものがつねにベスト

ロシア人の愛国心が、ややもするといかに偏狭、自己勝手で、彼我（ひが）を客観的にくらべてみる複眼性を欠いているか――。このことをしめす二、三の例を、つぎにあげてみよう。たとえばロシアの諺は、「ロシアの塔は、世界一高い」という。また、ロシアが生んだ最大の詩人のひとり、プーシキンは「わが母国ロシアのものは、煙ですら（目にしみず）、われわれにとり甘く、心地よい」と謳った。

英語で、「アワーズ・イズ・ベター（われわれのもののほうが良い）」にあたるロシア語の「ナーシェ・ルーチシェ」は、ロシア人が実にしばしば口にする最愛用語句になっている。この語句を皮肉ったジョークとして、スミス記者は、著書『ロシア人』のなかでつぎのような例を紹介している。ボリショイ・バレーの舞台監督である亭主に、バレリーナの愛人ができた。このことに気づいた妻が、女友達につきそってもらってひそかにその愛人が誰であるか確かめにゆく。次から次へと舞台へ出てくるバレリーナのどれもこれも、やれ「脚が太すぎる」、やれ「顔が大したことはない」、等々と散々けなしつづけた後、最後に登場したプリマドンナを見て、妻いわく、「ねえ、ごらんなさいな。きっと彼女に違いないわ。だって、ナーシェ・ルーチシェですもの」!!

ロシア人がすべてを発明した

私個人は、スポーツにさほど関心がある人間ではないが、モスクワでスポーツ好きの日本人から聞いた話では、ロシア人観衆の自国代表チームや選手を応援する態度にはただただ驚嘆するばかりであるという。ともかく、ただひたすら自国チームのみの応援をして、恥じるところがまったくないからだ。これが嵩じて、たとえばモスクワ・ユニバシヤード大会などでロシアの審判たちが自国の選手に平然と高い点数をつけるので、すっかり憤慨したという別の者もいた。

スターリン期のことではあるが、ラジオ、電球、電気機関車、飛行機などすべてが、ロシアで発明されたものであると主張されたこともあった。逆に最近にいたるまでロシアで、コンピューターの発達が遅れていた理由は、コンピューターがロシア人でなく西欧人の手によって発明されたことにたいする反感が作用しているといわれた。日本人による無節操ともいえる猿真似方式の近代化とは、ずいぶん対照的と思われる気位である。また、かつてスターリン、フルシチョフら政府の指導者たちが、エセ科学のトロフィーム・ルイセンコ農法を重用する誤りを犯したのも、グレゴール・メンデルを中心とする西洋の遺伝学や生物学に反発・対抗しようとする意識によるところが大きかったといわれている。

愛国心と裏表の排外主義

〝クワス的愛国心〟の自己中心主義的傾向は、たんなるお国自慢と無邪気で笑ってすませる程度や範囲内にとどまっているならば、それは人畜無害な類いのものだろう。しかし、それはしばしば対外関係にも反映してくるから、少々具合が悪い。〝クワス的愛国心〟と排外主義と一枚の銅貨の裏表の関係にある。詳しくは後にのべるが、ここでも、一、二、その例をあげておこう。

まず、それは、外敵からの防衛のためにロシア人を団結させる役割を果たす。そればかりでなく、外部の者（アウトサイダー）を厳しく拒み、容易に受け入れない頑(かたく)なな態度となって表われる。私は、のちに西側に亡命した一ソ連軍人の手記を読んだことがある。それによると、一九六八年夏にチェコスロバキア侵攻を命ぜられたとき、その軍人は「チェコスロバキア人たちが、自分たちロシア人よりもずっと良い暮らしをしているくせに、なぜこのような面倒をひきおこすのか。一発懲らしめてやれ」と思った。そういう気持ちのために、自身が軍事侵攻に心理的な抵抗感をまったく抱くことがなかった、と正直に告白している。また、同一人物は「自分にとって国家などどうでもよいが、ロシアがたとえ一キロメートルでも領土を失うことには猛烈に反対する」とも語った。

〝クワス的愛国心〟は外部にたいする排外主義の形をとり、内部にたいしては裏切りを許さない村八分的な不寛容となって表われる。たとえば、アレクサンドル・ソルジェニーツィンやアンドレイ・サハロフといった反体制知識人が、われわれ西側の者にとっては意外なほどソ連／ロシア国内で支持が少なかったのみならず、不人気でさえあった理由のひとつも、ここにある。つまり、彼らは国外に出たり、あるいは外国の勢力と手を組んで己の主張を貫こうとしている。このようなやり方が、ロシア人たちの目には母国にたいする重大な裏切りのように映るのだ。いかなる国家ではあっても、それは彼らにとっては「ナーシェ・ルーチシェ」なのである。

分かっちゃいるけど、やめられない

このような〝クワス的愛国心〟やその系(コロラリー)としての排外主義は、他国にとって扱いにくいものとなる。繰り返すようであるが、それは、ロシア人のインフェリオリティ・コンプレックス(劣等感)、不安感、被包囲意識、自信欠如など、ひじょうに屈折した心理に根ざしている。いわば田舎者の愛国心だけに、厄介かつ取り扱い要注意な類いのものなのである。

スミス記者は『ロシア人』のなかで、このようにどうしようもないロシア人特有の非合理的な心理をしめすエピソードをあげている。すなわち、あるロシアのインテリ婦人は、米国がおこなっている「ボイス・オブ・アメリカ(V・O・A)」放送を非難するのに、つぎのようなのべ方をしたというのだ。「V・O・A放送のいうことは、まったく正しい。それにもかかわらず、私を怒らせ、不機嫌にさせます。なぜかというと、私どもは外部の者から［真実を］教えられるということそれ自体に、侮辱を感ずるからです」。

一九七六年に函館にソ連機で着陸し、結局、米国へ亡命したビクトル・ベレンコ中尉のミグ25事件も、ロシア側にしてみれば、日本が米国の力を借りて同機を解体し、全世界に向かって見世物のごとく物笑いの種にしたことが、もっとも我慢できなかったことだったに違いなかった。ロシア人は、日本人と同じく、あるいはそれ以上に、面子(メンツ)を重んずる国民だからである。物事は、やはり、両面から見る必要がある。

第3章 政治

「力は正義なり」が中央集権化を生む

これまでやや長々とのべてきたようなロシア人の特性が、現ロシアの各分野に一体どのように反映しているのか？ 考え方によっては、このことの検討のほうが、ロシア人の国民的性格それ自体の分析よりもはるかに重要であろう。このことを具体的に考察するのが、本書の以下の課題である。政治、外交、軍事、交渉、労働、技術、社会の順序でみてゆくことにする。

まず、ロシア政治。以上みてきたようなロシア人の国民的性格は、ロシアの政治の実態にどのような影響を及ぼしているのだろうか？ これまでに、すでにのべたところと部分的には重複するかもしれないが、改めてこのことを考えてみよう。

自由の一部を移譲

ロシア人は、自由への強い衝動をもっている。と同時に、その強い衝動に身をゆだねるならば、自己にも民族、国家にも、統一や安定が危うくなり、最悪の場合、ロシア社会に混沌（カオス）が支配するようになるかもしれない。このような懸念も抱いている。『ソ連は1984年まで生きのびるか?』というセンセーショナルな題名をつけた本を書いて一躍有名になったソ連時代の反体制知識人の一人、アンドレイ・アマルリクは、ロシアでは「大多数の人々にとって、〝自由〟という言葉そのものが、〝無秩序〟と同義語である」とまでのべた。

そういうわけで、ロシア人は自由の一部、とくに外的な自由を主張することをもはや断念し、強大な政治権力へ譲りわたすことに——もとより渋々ではあるが——同意する。こうする以外に、広大な地域を外敵から守り、ロシアに安寧と秩序をたもつ術（すべ）はない。このように観念しているからである。イギリスのロシア史家ペアーズも、つぎのように観察している。「ロシアの農民は、統治をおこなう責任を分担することを自分では望まない一方で、秩序が維持されるべきことを望んだ」。

治められる側がこう考えているくらいだから、治める側は推して知るべし。ロシアの治者は専制主義、つまり絶対なる権力を一個人へ集中し、統合する以外に、ロシアを治める手立てなし――こう固く信じ込んでいる。ロシア史における代表的な啓蒙専制君主のエカテリーナ二世はフランスの啓蒙思想家チャールス・モンテスキューのつぎの一句を好み、自身しばしば引用したという。「広大な帝国は、それを治めてくれる専制的な権威を前提とする」(『法の精神』)。

セルゲイ・ウィッテは、日露戦争終結のためのロシア講和全権代表をつとめ、ポーツマスで日本全権の小村寿太郎とわたりあったことによって、日本にもなじみ深い帝政末期の政治家である。彼は、ロシアの工業化を急いで進め、ヨーロッパに追いつかねばならないと考えた近代主義者だったことでも知られる。しかしながら、ことがいったん国内統治の問題となると、「近代主義者」のウィッテも他のロシア政治家たちとまったく変わらなかった。権力の集中のみがロシアをコントロールする術だと固く信じていた。ウィッテ宰相は、ニコライ二世に向かって説いた。ロシアは「多民族で、多言語で、しかも大半は文盲の国民。[ですから、] ひとつのことだけは、忘れないようにしてください。もしツァー(帝政君主)体制が倒れる場合、ロシアは絶対的な混沌に陥るだろうということ。ロシア国民を形成しているこの混合体をコントロールできる、もうひとつの政体が生まれるまでには、ずいぶん長い時間がかかるだろうということ」。

ニコライ二世は、家庭にあっては妻や子供を愛する良き父親だったが、性格が弱く、決断力に欠ける、いわば欠陥統治者であった。大事な国政をドイツ生まれの勝気な皇后アレクサンドラにまかせ、怪僧ラスプーチンの跳梁(ちょうりょう)を許すなどの失政を多く重ねた。そして挙げ句の果てに、ウィッテの懸念がついに実現することになった。すなわち一九一七年の二月革命の勃発によって、ニコライ二世の政府は打倒されてしまったのだ。

ニコライ二世の退位は、ロマノフ王朝の終わりを意味した。それは、同時にロシアを統治する強力な政治権力の中心がなくなり、ロシアに混乱が生まれることを意味する。こう考えた者が多かった。後にみずから臨時政府の外相となるパーベル・ミリューコフも、そのように考えるひとりだった。ミリューコフは、ニコライ二世の弟ミハイルに向かって、是非ともツァーの地位を継承し、ロマノフ王朝の断絶という事態を避けるよう懇請した。そのとき自由主義者ミリューコフが説得に用いた言葉は、右に紹介した啓蒙政治家ウィッテの主旨や内容とまったく変わらなかった。いわく、「もし、貴方が辞退されるならば、それは一巻の終わりということになりましょう。ロシアは、その舵とり、国家統治の唯一のパイロットを失うことになるので、混沌、アナーキー（無政府状態）、そして血の海にさえ投げ込まれることとなりましょう。政府がないということはロシアがないということ、すなわち何もないということです」。

要するに、ここに、ロシアの政治的伝統のエッセンスがある。西欧思想に親しんだ「近代主義者」ですら、いや西欧に追いつこうとする近代主義者であればこそ、無視しえないロシアの特殊事情が存在する。つまり、強大な政治権力をもつことなしには、広大な空間にまたがるロシアの国土を統治するのがむずかしいという認識である。しかも重要なことは、官民ともにこの結論に暗黙裡に同意しているという事実である。

歴史のはじめから、お雇いホスト

右のことを裏返していうと、社会に秩序をあたえ、人民の財産、とりわけ内的世界の自由を保障さえしてくれる者ならば、治者は極端にいって誰でもよい。こういう理屈にもなろう。そもそもロシア史の発端からして、そうだったのである。

ロシア年代記に記されたロシア建国伝説のくだりは、つぎのように記す。東スラブの諸民族は互いに争って、正義が支配することがなかった。そこで、海の彼方ルーシにおもむき、「われらの地は広大であり、豊かであるが、その中には秩序がない。来って公として君臨し、われらを支配せよ」と求めた。ルーシとは、ヴァリャーグ人と呼ばれるノルマン人のことだといわれている。ともあれ彼らは、東スラブ民族にとってまったくの異邦人だった。そのような招へいに応じてやってきたルーシの部族によってロシアの基礎が築かれ、ルーシの地ということから「ロシア」という名称も発生したという。

その後も、ロシア人は、必要とあらばドイツ人であれ、スウェーデン人であれ、フランス人であれ、イギリス人であれ、外国人の血を導入し、統治者の補強につとめた。たとえば、ピョートル大帝とならんでロシア史上に大きな位置を占めるエカテリーナ大帝（二世）は、生粋のドイツ女性だった。外川継男教授（北海道大学、ロシア史専攻）は、そのすぐれた概説書『ロシアとソ連邦』のなかで書いている。「同時代の多くの人が、エカテリーナ二世のすぐれた知性、鉄のような意志、すぐれた現実感覚、生まれながらの統治能力について語っている。ロシアは、ピョートル以後、久しぶりに国の政治のために昼も夜も働く精力的な君主を持ったのであった」。

ロマノフ王朝最後のツァーリとなったニコライ二世の妻アレクサンドラも、ドイツ出身だった。血統を大事とし、南朝、北朝と分かれて争い、近親同族結婚を繰り返し、美智子皇后までは日本人の血であっても平民出身者を頑ななまでに拒んできた日本皇室の〈純粋培養主義〉――これとは、大きなコントラストをなすロシア流のおおらかかつ功利主義的な考え方といえるだろう。

ロシアの専制が、とくにビザンティンとモンゴルという歴史的な二大体験に負うところが大きかったことについては、すでに触れた。すなわち、ビザンティンから来たギリシア正教は、この世の神であるツァーリにたいする絶対的服従の教義、モンゴルがもたらしたアジア的専制主義は、同様に個人の国家への奉仕の原理を、ロシア人にたいしても植えつけた。西ヨーロッパ諸国はルネッサンス、宗教改革、産業革命、ブルジョワ民主主義革命などを経験し、しだいに個人主義の開花を伴う近代社会へと発展をとげていった。そのような展開とは対照的に、ロシアでは右のような歴史的遺産も作用して、専制確立への途を歩んだのだった。

ロシア史を年代順に語るのが目的でない本書においては、その後の経緯をすべて省略して、ロシア式専制たるツァーリズム（帝政君主制）の特徴を、以下、一、二のべるだけにとどめよう。

ツァーにたいする無条件的服従

ツァーリズムの政治的特色は、ツァー（帝政君主）の絶対的権力、裏返せば社会のそれ以外の者のツァーにたいする無条件的臣従を要請する点にある。「社会のそれ以外の者」とは、主として人口の九〇％を占める農民のことを指している。ロシアでは、中産階級はとるにたらない程度や存在にしか成長しなかった。ひと握りの貴族・士族階級層——彼らは、「クニャージ（公職身分）」や「ボヤーレ（士族身分）」と呼ばれた——は、ツァーをとりまく特権グループとしてツァーに絶対的忠誠を誓った。ツァーリズムの終末近くロシアを訪問する機会をもったあるイギリス人旅行者は、つぎのような観察を記している。「ロシアでは、ツァーがすべて。文字通りすべてである。彼の意志は法律であるばかりでなく、天上からくる正義でもある。ツァーの土地および臣民はツァーの完全な意のままに処分される」。

ツァーが「すべて」——このことを逆にいうと、それ以外の者、とりわけ農民は「無」ないし「零（ゼロ）」を意味した。彼らは人間でなく、奴隷、まるでモノ扱いされる存在でしかなかった。ニコライ・ゴーゴリの名作『死せる魂』を読めば分かるように、ロシアの農奴は土地に所属し、土地財産の一部を構成し、土地とともに売り買いされる存在だった。人権とか自由とかいうことは、まったく問題にされなかった。

ヴィサリオン・ベリンスキイといえば、ロシアにおける急進的な文芸評論の草分けといわれる人物である。しかし、そのベリンスキイですら、かつて「現実的なものは理性的なものであり、また、理性的なものは現実的なものである」と説いたヘーゲルの影響下に、ロシアで「現実的なもの」、すなわちツァーリズムの現実の重みを承認したにとどまらず、つぎのように賛美した。「ツァーの権威への無条件的服従は、われわれにとって有益かつ必要であるのみならず、われわれの生活――われわれ民族の最高の形態の詩(うた)である」。

中央集権はロシアの伝統

すべてがツァー一身に依存している――。これは、とりもなおさず権力の一体化、集権化を意味する。たとえば帝政ロシア下においては、立法、行政、司法のあいだのいわゆる「三権分立」という考え方は存在しなかった。せいぜい存在したのは、三つの機能の分掌だった。西欧流の「三権分立」論を否定する事情は、プロレタリアート権力の一体性を説くソビエト政権下でもまったく変わりなかった。プーチン政権下でも、同様である。今日、ロシアの議会は、プーチン政権与党の「統一ロシア」が多数を占め、プーチン大統領の言うがままになるまるでラバー・スタンプのごとき機関でしかない。司法権の独立も、事実上、存在しないといってよい。

　また、地方分権ないし地方自治などという考え方も存在しない。すべての重要な事柄は、中央のモスクワないしサンクト・ペテルブルクで決定される。このロシア式伝統も、現プーチン政権下のロシアにそっくりそのまま引き継がれている。私はソビエト時代、極東地方の中心ハバロフスク市で開催された国際太平洋学会に出席した折、ハバロフスク駅の時計が自分の腕のセイコーと違った時刻を指していることに気づいて、一瞬慌てたことがあった。ソ連邦のどの地域に赴こうと、モスクワ時間が標準で地方時間と併せて表示される事実をうっかり忘れていたからだった。ラジオの時報も、しかり。またモスクワ―ハバロフスク間を六日間で運行されるシベリア鉄道の時刻表も、モスクワ時間で標示されていた。だとすると、首都モスクワとは七時間もの時差があるとはいえ、ハバロフスク市だけがこの原則の例外となることが許されるはずはなかった。当時すでにソ連政治を二〇年以上にもわたって勉強していた私が、いまさらそのようなことに気づくとは！　私は赤面した。とはいえ、ソ連はなんと中央集権主義志向の強い国家や社会であることか。このような思いを改めて禁じえなかった。

ツァーリズムの遺産

　以上のように、私がツァーリズム、ソビエト体制、プーチノクラシー（プーチン式統治）

のあいだに存在する連続性や共通面を強調すると、猛然と筆者にくってかかってこられる読者の方々もいるに違いない。もとより、私といえども、ツァーリズム、ソビエト体制、プーチノクラシーがまったく同一とみなしているわけではない。とはいえ、これら三者を互いにまったく異質なものとしてとらえる見方は必ずしも適当ではないだろう。ややもすると、これら三つの体制のあいだの異なる側面ばかり強調しがちだった一般的な風潮にたいして、私個人は本書では、ことさら意識的に類似性の存在を力説しようとしているのである。

では、ツァーリズム、ソビエト体制、ソ連解体後の現ロシアのあいだの共通面とはなにか？

まず、地勢、気候、人間、言語、文化等々は、それほど大きくは変わっていない。米国のロバート・ダニエルス教授（ヴァモント大学、ロシア政治専攻）の言葉を借りると、つぎのような共通面が見逃されがちである。重要な指摘なので、少し長いがそのまま引用することにしよう。

「ロシアは、依然としてロシアである。当たり前のことだが、革命があったということで、底を流れる連続性がややもすると見逃されがちである。ソビエト期のロシアは、ツァーリの帝国と同じ国土である。それは、同一の地勢をもつ。同一の国民から形成されている。支配的な言語も同一ならば、異なった少数民族の言葉が存在する事情も同じである。文化人類学的な意味における文化一般も、同一である」

改めて言われてみると、まったくその通りである。ダニエルス教授の明晰な文章によってわれわれは感嘆させられるばかりでなく、その説得力によって同教授が説く主旨にも容易に賛同させせられてしまう。教授は、つづける。

「ロシアでは、他の農耕文明が工業化によって経験する変化がより少なかったといえるだろう。ソビエト国家がおこなった変化——工業化と近代化——も、それが個人のイニシアティブを信用しないで強制的方法によっておこなわれたという点で、ピョートル大帝からニコライ二世にいたるまでのすべてのツァーたちの努力の直接の延長線上にあるといえる」

ダニエルス教授の主張に、ここでもわれわれはうなずく以外の術はない。

「国内面についていうならば、国家と社会との関係は、前者が強制力を用いてなんでもやらなければ万事コトが効率的にすすまないという点も、まったく変わっていない。対外的にみても、ソ連は帝政時代と同種の誘惑と危険に直面しつつ、用心深さ、不信感、力のコンビネーションという帝政時代と大して変わらないやり方で、国際環境を航行してきている」

ダニエルス教授の著述から引いた右の文章のなかに、本書で筆者のいいたいことのほとんどすべてが言い尽くされている。右の一文は、ダニエルス教授が一九六四年に出版した著書『ロシア』からの引用なので、当然、帝政ロシアとソビエト・ロシアをくらべ、両者間の共通点を指摘しているにとどまる。ところが、同教授がのべていることは、ソビエト期と現ロシアをくらべる場合にもほとんどそっくりそのまま当てはまることが判明するだろう。本章は〈政治〉を扱っている章なので、ダニエルス教授が指摘する「帝政ロシア」と「ソビエト」の連続的諸側面のうち、〈政治〉に関係する点を二、三、取り出して説明してみよう。そのような共通点は、ソビエト期が終わり、プーチン期に入っている現在にも見出されることが、読者に容易にお分かりいただけるだろう。

〝力は正義なり〟

第一に、ロシアのツァーリズム、ソビエト体制、そしてプーチノクラシー――これら三つは、極端なまでに権力を中央へ集中させている点で共通している。ツァーリズムはツァーに、ソビエト・システムはソ連共産党に、なかんずくそのトップの共産党書記長に権力を統合した。プーチノクラシーは、プーチン大統領ただ一人に政治・経済の決定権を集中させている。故サハロフ博士もかつてのべていた。「わが国ですぐ目につくのは、経済的、政治的、イデオロギー的権力のきわめて大きな集中、つまり、極端な独占です。国家が全経済の独占的所有の役割をになうようになっていると考えることができるわけです。しかし、それだったら、そんな社会主義は、別段、何か新しいものではない」(『サハロフは発言する』、原卓也訳)。このような故サハロフの指摘は、プーチノクラシーの今日にもほぼ同様に当てはまる。

ツァーリズムとソ連型「社会主義」、プーチノクラシー――これら三つの体制は、さらにつぎの点でも通底するものをもっている。三つの体制はすべて、極度なまでの権力集中化を容認しなければ、統一も、安定も、最低限度の物質生活も得られないだろう――。被治者がこのような諦めと認容を大前提にしていること。要するに、三つの政治体制を支えている被治者大衆のメンタルな（精神的）土壌はほとんど変わっていないのだ。

「ツァーのもとで、われわれは専制国家でしたし、いまは全体主義国家ですが、結局、ルーツは同じロシアの過去なのです」。スターリン時代、外相をつとめたマキシム・リトビノフの孫にあたるパーベル・リトビノフは、ソビエト期に米国のスミス記者に向かいこう語ったという。一時は反体制知識人として活躍して、歴史の皮肉を感じさせたものの、私の記憶に間違いがなければ、たしか一九七三年にソビエト官憲の圧力に屈し、再転向をとげた人物である。それはともかく、パーベル・リトビノフがつづけてのべているつぎの言葉が、現文脈ではとくに重要である。

「[ロシアでは]指導者も、一般市民も、同じ専制主義的な精神構造をもっています。このことを、あなた方[外国の人々]は理解すべきでしょう。ブレジネフも、ふつうの平凡な人間も〝力は正義なり〟と考えています。それだけのことです。イデオロギーの問題ではないのです。たんに、権力の問題なのです。ソルジェニーツィンは、すべてが共産主義のせいと考えるかのようにふるまっています。しかし、彼とて、それほど変わりはありません。彼が望んでいるのは、民主主義ではないのですから。彼は、全体主義国家から専制主義国家に戻ることを望んでいるだけなのです」

ロシアでは、さきに説明したようにロシア人が魂の無法者であり、なによりも混沌を恐れるがゆえに、国に統一と安寧をもたらす巨大な力が要請され、正当化される。強い力は、畏怖され、尊敬される。逆に、弱い力は馬鹿にされ、軽蔑される。力をもっている者にたいしては服従する。力のない者を従属させるのは、当然である。ここから、〈上（権威）には弱く、下には強い〉という官僚主義。〈長いものには巻かれろ〉とのことなかれ主義が生まれる。パーベル・リトビノフがいうように、「力」すなわち「正義」という権威主義はここから生まれてくるのだ。ソ連の世界経済・国際関係研究所の所員でありながら、米国へ亡命し、現在「ナショナル・インタレスト・センター」ＣＥＯをつとめているドミートリイ・サイムズ博士は、一般ロシア人のあいだに存在する権威主義的傾向を率直に認めて、米議会の公聴会でつぎのように証言している。「ロシア人は、権力を尊敬する伝統をもっています。弱いこと、親切なことは、指導者にとって不適当なこととみなされています」。

“強い主人”を尊敬

人間にかんしても、そうである。ロシア人は、被治者階級も指導者グループも、内外の別なく、強い指導者を彼（または彼女）がただ強いという理由だけで尊敬する。ロシア研究の泰斗、ジョージ・ケナンは、『回想録』のなかで「ロシアの統治階級は、強者のみを尊敬する」と断言する。これは、反論しえない観察であり、洞察といえよう。

たとえばフルシチョフは、失脚後に出版した自身の『回想録』で、かつて自分のカウンター・パート（相手）だった二人の米国大統領――ドワイト・D・アイゼンハワーとジョン・F・ケネディ――を比較して、前者に分がないと結論している。その理由は、アイゼンハワーが、「善良な人間ではあったが、頑強さ（タフ）がなく」、要するに「弱い」大統領だったからだ。それにたいして、フルシチョフは、キューバ危機のときの対決相手、ケネディを「尊敬した」。JFKが暗殺されたとき、ソビエト共産党第一書記は、「心からの哀悼の意を表した」。しかし、皮肉なことがある。そのフルシチョフ自身が、ソビエト市民によっては統治能力のない矮小政治家とみなされていたことだった。ソビエト市民は、スターリンのような「強い主君（クレープキイ・ハジャーイン）」のほうを、断然尊敬していた。類似のことは、プーチン期にも存在する。プーチンは、バラク・オバマ前大統領を聡明ではあるが軟弱なリーダーシップの人物とみなし、尊敬していなかった節がある。他方、ドナルド・トランプ大統領を教養のない「じゃじゃ馬」と見下しつつも、油断しえない相手として、決して粗末に扱っていない風情が見られる。

お上とわれわれは無関係

以上のべたような歴史的、心理的な理由から、ロシアでは治者と被治者とのあいだに仕事の分担というものが生まれる。そして、両者間の溝は、決して越えられない厳格な一線なのである。政治指導者のトップの「彼ら」と底辺の「われわれ」とは、まったく違った人種なのである。両者は、決してミックスしない。このような考え方や感情が、ロシア人のあいだで一般的であるといってよい。

クレムリンの指導者たちは、ロシア一般大衆の目には自分たちとまったく無関係で隔絶した存在として映っている。一般の米国人や日本人が、その会話のなかで、オバマ、トランプ、安倍といった名前をぽんぽんと気軽に口の端にのせても、何ら不思議はない。ところが、私の経験では、現ロシア人がプーチン、メドベージェフ、ラブロフといった指導者の名前を口にすることは滅多にない。ひとつには、一体誰が聴いているか分からないからだろう。会話のなかで、ロシアの指導層をわれわれの追及にあってやむなく言及せねばならないときには、肩をすくめ上のほうを指差す。警察について言及するときも、「彼ら」であり、モスクワでの二年間の滞在中に、たった一度だけ「チェキスト（秘密警察員）」という単語を聞いたとき、それでよいのかと一瞬びっくりし、私のほうが周りを見渡したくらいだった。

指導者と国民との距離はこのように遠く隔たり、無関係なものだから、ロシア国民は、政府とのあいだに一体感も感じない一方、政府がおこなうことになんらの責任感も抱かない。まったく無関心なのである。なにしろ「彼ら」と「われわれ」は、相互になんのかかわりあいもない別個の存在なのだから。『ニューヨーク・タイムズ』記者のスミスによれば、ロシアのある女性言語学者は、ロシア人の無関心についてつぎのように説明したという。「アメリカでは、人々が自分たちの政府を恥じることがあるでしょう。たとえばベトナム戦争のときのように。でも、私たちの政府がチェコスロバキアや他の国にたいして一体何をしようと、私が恥じることは一切ありません。……政府は、私とはまったく別の存在だからです。私と政府とは無関係だと感じています」。

政治的無関心

私自身にも、一九七五年のソ連時代、ロシア人の政治的無関心ぶりを目のあたりにして驚かされた体験がある。アルメニア共和国の首都エレヴァンで夕食後、ホテルのロビーでテレビを観ていたときのことだ。まわりを見まわすと、テレビを観ているのは全員が男性だった。日本風にいえば、おそらく出張中の中堅サラリーマンという感じだった。番組は、戦争映画だった。タシケントで会ったインド人留学生が、「ロシアでは娯楽が少ないことにもっとも閉口する。なにしろ映画もテレビも、ヒトラーをやっつける勧善懲悪の戦争物ばかりだもの」と苦情を言っていたその「戦争物」だった。とはいえ、観客は他に時間をつぶしようもないのだろう、仕方なく戦争映画を観ていた。

ところが、予定通りロシア軍が勝利したところでプログラムが終わると、私を除く全員が席を立ち、それぞれの部屋に戻ってしまった。映画後のプログラムがまさに午後九時のニュース番組だというのに。戦争映画にはまだかろうじて我慢するものの、NHKの「ニュースウォッチ9」にあたる主要ニュース番組にはなんらの興味もしめさない、ロシア人男性の徹底した政治的無関心ぶりに、私は改めて呆れかえった。

ここまでのべてきた、ロシアといわゆる「共産主義」との関係についてのまとめとして、イギリスの歴史家ペアーズの言葉を引用しよう。その言葉は、『ロシア——その過去と現在——』という本のなかで、四〇年も前に書かれたものである。にもかかわらず、その予言は、今日でも修正することなく、そっくりそのまま通用するのではないか。こう思われるからである。

「ロシアの共産党の将来について、確実にいえることは、つぎの点だ。すなわち、それが、ロシア人民の本能に合致するところでは必ずひろがり栄えるであろうし、それがこの本能と合致せぬところでは、必ず失敗するであろう」

レーニン流の「共産主義の成功」は、まさにペアーズのいう通り、ロシア人民の本能にうまく合致したことのお蔭であった。すでにのべた通りレーニンの「共産主義」は、一般の労働者や農民の自発的な意識の高まりをまつことなく、一部のエリートが、大衆を指導し、ひっぱってゆくというロシアの伝統に適合したものであった。このように、西洋社会で生まれたマルクス主義が〝半アジア〟社会で東洋的専制の伝統をもつロシア型へと変形したがゆえの成功だった。

プーチンの生い立ち

ロシア大統領プーチンは、典型的なロシア人といえよう。というのも、彼は、「〝力〟の相関関係」を何よりも重視する人生観の持ち主だからである。つまり、この世の中では結局〝力〟こそが物事を決めるもっとも重要な要因に他ならない。〝力〟の勝っている者が、〝力〟の劣っている者にたいして優越し、勝利を収め、闘いの戦利品を手に入れる。端的にいうならば、この世は弱肉強食の「ジャングルの掟(おきて)」が支配する世界に他ならないと考えている。

このような人生観をプーチンに教え込んだものは、一体何だろうか。この問いに答えるためには、やや迂遠のように思われようとも、是非とも彼の少年時代に遡って話をはじめる必要があろう。

ウラジーミル・プーチンは、一九五二年にサンクト・ペテルブルク（以後、ペテルブルクと略称）に生まれた。兄二人は死亡し、プーチンは母親が四一歳のときに授かった男の子だった。そのことも手伝って、プーチンは母親の溺愛の対象になった。当時、プーチン一家（両親と彼自身の三人）が住んでいたのは、ペテルブルクの「コムナルカ（共同住宅）」と呼ばれる一部屋アパート（二〇平方メートル）だった。台所もトイレも共用。浴室はなく、いわゆる銭湯に通わねばならなかった。

プーチン少年（愛称ボロージャ、ボロートカ、ボフカ、ボーバ）は、当然のごとく、息がつまりそうな狭い自宅を出て、戸外の「通り（ドヴォール）」で時間を過ごすことが多かった。当時のペテルブルクの「通り」は、「ジャングルの掟」が支配する世界だった。つまり、腕力に秀でた者が即発言力を得て幅を利かせ、縄張りを仕切り、実効支配する。逆に、弱い者は強くなる以外、生き残る術（すべ）は残されていない。そのような世界にあって、ボロージャは、小手先を駆使する世渡りの巧みさに頼るだけではとうてい大きな顔をしえなかった。ボロージャは、ロシア人としては小柄（成人した現在でも一六八センチの身長）で、とくに当時は細身かつ脆弱な肉体の所有者だったからである。実際、彼は「通り」でたんに肩身が狭い思いをするばかりか、いじめられる存在だった。

ボロージャが一一歳のときに格闘技に興味をもつようになった理由は、おそらく右にのべたようなわが身の身体事情と関係していたように思われる。彼の担当教官だったヴェーラ・グレーヴィッチは、自著のなかで明言している。「ボロージャは、自分の身を守るために格闘技を学びはじめたのです」。プーチン自身も格闘技に興味をもった理由を、『第一人者から』で率直に語っている。「中庭や学校で一番になるには、喧嘩好きだけでは十分でないことが明らかになった途端に、私はボクシングを習うことに決めた。だが、鼻を折ってしまったので、ボクシングをやめた」。ついでプーチンはサンボ（柔道とレスリングを合わせたようなロシアの格闘技）、そして柔道へとごく自然に関心を移していった。

小林和男氏（元ＮＨＫモスクワ支局長）とのインタビュー（二〇〇三年）で、プーチン大統領は語っている。「私は子供の頃、『通り』で育ちました。『通り』には独自の厳しい掟がありました。何か揉め事が起きたときには、つかみ合いの喧嘩です。そして、はっきり言えば、強いものが正しい、ということになるのです。その頃の私の周りの世界でいい顔をするために、私はいろいろな方法で体を鍛えようとしました。小柄でしたから柔道にたどりついたわけです」。

柔道は、たとえ己は非力であっても、相手側の力を逆利用して勝利することができる。おそらくこのことは、短身かつ脆弱な肉体の持ち主だったプーチン少年にとり柔道というスポーツがとりわけ魅力的に思えた主要事由だったに違いない。事実、プーチンは小林氏に向かい、ひきつづき強調している。「［柔道では］相手を知っていれば、その知識を利用して自分の勝ちにつなげることができるのです。……相手の失敗を利用するだけでなく……相手の体重の慣性や相手の技の慣性を利用することもできます。利用しようとする、と言ったほうが正確ですかね」。

プーチンが柔道を習いはじめた動機は、講道館精神を学ぶといった必ずしも高邁なものではなく、むしろ功利主義的な理由にもとづいていた。これが、私の見方である。端的にいうと、プーチン少年は、己の身体上の劣等感を克服する手段として柔道を学びはじめ、その習得に熱心となったのだ。そこには、心理学者がいう「打ち勝ち補償」または「有効補償」の動機が明らかに作用しているように思える。

「通り」で学んだ闘争哲学

「通りは、私にとって『大学』だった。そこから、私は教訓を学んだ」。プーチンは、彼の伝記を執筆したオレグ・ブロッキイとのインタビューで、こう語っている。では、プーチンが自宅付近の通りで遊んでいた幼少期に「通り」という名の「大学」から学んだ教訓とは、一体何だったのか？　それは、つぎのような単純至極なものだった。第一、「力の強い者だけが勝ち残る」。第二、「何が何でも勝とうという意志が肝要である」。第三、「闘う場合は最後までとことん闘わねばならない」。

まず第一点にかんしては、プーチン自身がブロッキイに向かって、右の引用にひきつづいて説明している。ペテルブルクの街頭で彼が学んだのは「強くあらねばならないこと」だった。プーチンがとりわけ第二点を心掛けていたことについては、彼の柔道コーチだったアナトーリイ・ラフリンがつぎのように証言している。「彼（プーチン）の勝とうとする意志は、人並みはずれて強かった」。

「最後まで徹底して闘う」という第三ポイントにかんしては、ブロッキイとのインタビューでプーチンはつぎのように語る。「攻撃にたいしては直ちに応える用意をつねに備えておく必要がある。すなわち、即座にだ。（中略）しかも、最後まで闘うことが肝要である」。ちなみにこれは、かつてナサン・レイテス（米国ランド・コーポレーション上級研究員）が、有名な自著『(ソ連共産党)政治局のオペレーショナル・コード(作戦典範)』のなかで、ボリシェビキが守るべき鉄則のひとつとして指摘した点を思い出させる。同「典範」は、のべた。「敵は徹底的にやっつけねばならない。なぜならば、少しでも余力が残っていると、敵は力を回復し、将来の闘争で状況を逆転させるかもしれないからだ」。敵は、いったん攻撃の手をゆるめるかのようにみせかけて、実は力を備え直して再び攻勢に転じる。したがって敵にたいしては「最後までとことん徹底的に闘い」「しっかと止めを刺す必要がある」。

ペテルブルクの「通り」での闘争者、すなわち「ストリート・ファイター」(ドミートリイ・トレヴァン)としてのみずからの体験から、プーチンは右のような三原則からなる闘争史観を学びとった様子だった。言い換えるならば、彼はこれらのことをKGBに勤務する以前の段階で、すでに体得済みだった。〈栴檀(せんだん)は双葉より芳(かんば)し〉。プーチン自身がこのことを格別自慢するまでもなく、当然だったかのごとくつぎのように認めている。「これらは有名なルールであり、しばらく後になってKGBが私に教えようとしたことだった。ところが私自身はといえば、少年時代のつかみ合いの喧嘩からこれらのことをすでに習得済みだった」(傍点、木村)。

プーチン流闘争哲学との関連で、是非とも類似する二つの英語に存在するニュアンスの違いを紹介しておく必要があろう。それは、英語の二つの単語、「サバイバー」(survivor)と「サバイバリスト」(survivalist)の区別についてである。フィオナ・ヒル(英国人)&クリフォード・ガディ（米国人）という英語のネイティブ・スピーカーによると、前者はパッシブ（受動的）というか、少なくともニュートラルな響きをもつ言葉だという。極端にいうと、本人自身が格別努力しなくても、人間はたんに幸運に恵まれることによって「サバイバー」という客観的な状況に恵まれるケースがあるだろう。それにたいして、「サバイバリスト」という英語には、アクティブ（能動的）な生活態度や努力によってはじめて生き残りうるというニュアンスが含まれている。自分がおかれた境遇をただたんに堪え忍び、運命に身をゆだねるのではなく、己のサバイバル・チャンスを増大させるための方策を考案し、それを実践に移すべく前向きに奮闘する。時としては己のハンディキャップを逆利用し、跳躍をとげるバネにしようとさえ積極的に試みる。二つの英語のもつデリケートな語感をこのように区別をしたあと、ヒル&ガディは共著『ミスター・プーチン』（改訂版、二〇一五年）でプーチンを紛れもなくサバイバーでなく、サバイバリストとみなすべきだと説く。たしかに、たとえばチェチェン系武装勢力のテロ活動にたいしてプーチンが仮借なく遂行した闘いは、プーチンがペテルブルクの「通り」での闘いから学んだ教訓の実践とみなしうるだろう。説明しよう。

弱い者は討たれる

二〇〇二年一〇月にいわゆる「モスクワ劇場占拠事件」が発生したとき、プーチン大統領はチェチェン系占拠グループたちとの話し合いを頭から拒絶し、武装した特殊部隊に同劇場の急襲を命じた。結果として、一二九名もの貴い人命が失われた。〇四年九月、北オセチア共和国東部ベスランの学校がチェチェン系過激派グループによって占拠されたときも、プーチン大統領はまったく同様の対決姿勢をしめした。同大統領は、特殊部隊に学校への突入を命じ、犯人グループの殲滅を図ったからである。結果として、人質三八六名（一八六名もの児童を含む）の生命が犠牲になった。

右のいずれの場合にも、プーチン大統領は、人質の安全確保よりも、チェチェン武装勢力にたいする「徹底的な闘い」のほうを優先させた。ベスランで武装勢力を鎮圧したあとプーチン大統領がのべたつぎの言葉は、あまりにもよく知られている。結局、「弱い者は討たれる」。つまり、プーチンは「弱い者は必ず負ける」という己の政治的信念にもとづき、世論の受け取り方にたいしても一切譲歩する姿勢をみせようとしない（ロシアで数少ない反体制傾向の評論家、ユリア・ラトゥニナ）。これは、さきに紹介したプーチンが「通り」で得た哲学、すなわち「力の強い者だけが勝ちのこる」、闘う場合は「最後まで徹底して闘う」ことが肝要ということを、裏返してのべているに過ぎない。そして、プーチンの凄いところは、彼が己の信念をいささかもぶれることなく、実践している点に存する。

ロシアの一高官は匿名を条件に、プーチン流の人生哲学をつぎのように説明している。「プーチンは、口癖のようにつねにのべています。『人間は、ひとたび他人によって弱いとみなされると、即座に討たれ、そして敗北する』。これがプーチンが己を強く見せるためにあらゆる手立てを講ずる主要な理由なのです」。

ベスラン事件後、プーチン自身は己の闘争哲学をさらに敷衍して、つぎのようにのべた。「もし世論にたいして少しでも譲歩すると、それはすなわち弱さの表明になる。いったん弱さをしめすと、社会は、サメが水中で傷ついた魚の血の匂いを嗅ぎつけたように、われわれを食い尽くそうとするに違いない」。同学校人質事件の悲劇から一〇年以上もたった時点でも、プーチン大統領は己の持論を繰り返した。つまり、二〇一三年一一月末、ソチで格闘技（柔道、剣道、空手など）の実技パフォーマンスを見学したあと、彼は語った。「わが国ロシアでわれわれが高く評価し、尊敬するのは、一体どういう類いの人間なのか。つねに最後まで闘い、己の立場を貫く者である」（傍点、木村）。

プーチンは、少年期の体験にもとづいて形成した人生観を成人した後も維持している。われわれにこのような感想を抱かせたのは、アンゲラ・メルケル独首相が独連邦議会にあてた演説のなかで語った言葉である。メルケルは東ドイツで生まれ、ロシア語の教育を受けた。そのためにドイツ語を学び、チェキスト（KGB要員）として東独ドレスデンに四年半駐在したプーチンとは通訳なしで電話で話し合う仲だった。ところが、プーチンが二〇一四年三月、武力を背景にしてウクライナからクリミア半島を奪い、ロシアへ併合したとき、彼女は仰天し、激怒した。このときメルケル首相がのべたつぎのフレーズは一躍有名なものになった。「今は、二一世紀である。それにもかかわらず、モスクワは一九世紀や二〇世紀の方法を用いて、非合法的なふるまいをおこなっている。すなわち、法の支配ではなくジャングルの掟に従っている」（傍点、木村）。

寄らば大樹の陰

プーチンがＫＧＢ（ソ連国家保安委員会）へ就職を志した理由は、彼が柔道をはじめた動機と似かよっている。いや、まさにその延長線上にある。私個人は、そうみなしている。プーチン少年が柔道に惹かれたのは、右にのべたように、先天的に必ずしも恵まれた身体条件をもたない者であれ、柔道の技術習得にさえ努力するならば、本来体力でまさっている相手を倒すことができる点にあった。つまりプーチンは、柔道を通じて自身の脆弱な身体を補強し、インフェリオリティ・コンプレックス（劣等感）を克服し、「通り」での弱肉強食のサバイバル競争に伍してゆく力や術を身につけようと欲したのだった。

プーチンが非力な自身の補強策として柔道のつぎに思いついたのは、強力なグループに参加し、その一員になることだった。もしそのような組織に所属し、それと一体化できれば、自身のたんに身体的ばかりでなく、その他のハンディキャップを一挙に克服できる。この弱肉強食の過酷な人生におけるサバイバルがより一層確実なものになる。そして庇護（シェルター）を求めるならば、改めていうまでもなく、その「屋根」は大きいに越したことはない。

〈寄らば大樹の陰〉。ロシアでは本来「屋根」を意味する言葉が転じて「保護者」という意味でも用いられる。そのような意味での「屋根」候補として、当時、ソ連邦共産党と並ぶ存在は、KGBに他ならなかった。このようにして、プーチン少年の足は自然にペテルブルク市の〝ボリショイ・ドーム〟（KGBのペテルブルク支部のヘッドクォーター）へと向かった。

〝ボリショイ・ドーム〟（ロシア語で「大きな家」の意）という名実ともに大きな「屋根」の下に身をおくことによって、プーチンは己の非力な存在ならびに能力を補強しようと欲したのだろう。やや先走ってプーチンのその後の経歴について語るとするならば、ソ連崩壊後のプーチンにとってはアナトーリイ・サプチャク麾下のペテルブルク市役所が、同様な意味での「屋根」になった。モスクワへ移ってからは、ボリス・エリツィン大統領下のクレムリンがプーチンの「屋根」になった。そして、ちなみにいうと、シェルターとしての「屋根」のメンバーになった者が従うべき掟は、一にも二にも忠誠心に他ならず、プーチンはつねに保護を受ける代わりに、「屋根」が要求するルールを進んで受け入れ、誰よりも忠実に履行し、出世街道を駆け上がっていった。

〝ボリショイ・ドーム〟の係官から、「まず大学を卒業するように」と忠告されたプーチン少年は、その後まるで人が変わったかのように猛勉強を開始し、一九七〇年（一八歳）のときに、当時四〇人に一人の倍率だったレニングラード国立大学の法学部に現役で見事合格した。一体どうして、プーチンはこのような難関を突破できたのか？　ひとつの説明法は、彼が中・高等学校の成績を犠牲にして大学受験一本に集中したからだという。もうひとつの説明は、『顔のない男―ウラジーミル・プーチンの思いがけない上昇』（二〇一二年）の著者、マーシャ・ゲッセン女史が示唆するもので、おそらくKGBがプーチンのレニングラード大学合格を保障し、陰に陽に援助してくれたお蔭だろうという。第三の説としては、プーチンの父親もまた、KGBの前身である内務人民委員部の破壊工作隊に所属し、ナチ・ドイツとのレニングラード攻防戦で重傷を負い、足を引きずり暮らしていた。そのような家庭環境がKGBレニングラード支部の同情と理解を買い、特別枠で合格したのかもしれなかった。果たしていずれの説が正しいのか。残念ながら私自身は、それを判断するに十分な資料を持ち合わせていない。

ロシアでは徴兵制が敷かれており、適齢（一八歳から二七歳）の男子は軍隊の徴募に応じる義務が課せられている。ところが、主として都会育ちのエリート青年たちは、何とかかんとか理由をつくって兵役を逃れようとする。健康上の理由、大学の軍事教練コースの選択、その他の代替勤務……等々の口実を用いて忌避しようとする。賄賂を用いてそうしようと試みる不埒（ふらち）な者すら、少なくない。これらのうち一体どのような理由を用いたものか不明ではあるが、青年プーチンが兵役に就いた様子はない。そのためにレニングラード国立大学の新入生になったとき、プーチンは未だ一八歳でもっとも年少の学生のひとりだった。級友たちの多くは、徴兵終了後はじめて同大学の門をくぐることが許されたからである。在学中プーチンは国際法を専攻し、「国際法における最恵国待遇の原則」と題する論文を提出して、同大学を卒業した。

卒業と同時に、プーチンは晴れて(!?)KGB入りを果たした。試験期間なしに大学卒業の翌日に新人を採用する。これは、万事に慎重、かつ一旦就職したら生涯やめることのできないKGB職へのまともな採用法とはとうてい思いえない。このことから、プーチンはおそらく在学中からすでにKGBの仕事に少なくとも部分的に携わっており、仲間の学生や教授たちの動静を〝ボリショイ・ドーム〟へ報告し、それが試験期間の代わりになったのではないかと疑われる。そういえば、大学時代のプーチンは経済的に裕福で、自宅には電話があり、かつ自動車(もっとも、プーチンは宝くじで当たったと説明している)も所有していた。

〝強い主人〟になろうと決意

さきにのべたように、ロシア人の心性のなかには、〝ギガントマニア〟の傾向が存在する。そして、そのようなみずからを超えた強大なものにたいする渇仰は、人間を対象とする場合、「強い主人」をたんに是認するばかりか、そのような存在を希求する態度を生む。それは、純粋な動機に発する心酔であるとともに、ロシアの特殊的な地勢や歴史に鑑み、そのような「主人」の存在を必要悪として認めざるをえない——こういった諦観が入り混じったロシア人庶民たちの複雑かつデリケートな心情といいえよう。ロシアの諺もいう、〈悪い平和でも、善い争いよりはまし〉。

　ともあれ、「強い腕（トビョルダヤ・ルカー）」を求める国民感情は、中央集権化された絶対権力を単独の指導者に認めるというパターンを、ロシアで繰り返す背景事由のひとつになった。ロシア史には、ツァーリズム、ソビエト型「社会主義」、プーチニズム――の別を問わず、ワン・マン支配という赤い糸が一本貫いている。そのあいだに変わったのは、指導者の肩書きだけだった。あるときはツァー（帝政君主）、あるときは共産党書記長、またあるときは大統領（もしくは首相）といった名称だけだった。

　プーチンは、必ずしもみずから明言していないものの、彼の前任者二人、ゴルバチョフ、エリツィンの〝失敗〟から学び、彼らのアンチテーゼたることをめざしている。プーチンは、まず、ミハイル・ゴルバチョフが採ったあまりにもリベラルな政策の急激な実践によって、たとえば東・中欧「衛星」圏諸国がソ連邦の手から失われてしまったことを遺憾千万とみなした。また、ゴルバチョフ自身の権力掌握が生温かったために、一九九一年八月、クーデター未遂事件の発生を防止しえず、結局本人自身も失脚する羽目になったと考えた。身体の大きいボリス・エリツィンは、一見するかぎり心身ともに頑丈な指導者のように映った。だが、性来のアルコール好きなどが嵩じて、少なくとも二期目のエリツィン大統領は満身創痍状態に陥り、入退院を繰り返し、クレムリンへの登庁すらままならなくなった。挙げ句の果てにソ連邦を解体させるという「二〇世紀最大の地政学上の惨事」（プーチンの有名な言葉）を惹き起こし、任期満了前に辞職する醜態をさらした。

プーチンは、このような前任者の二人から教訓を学び、同様のミステークを決して繰り返すまいと固く心に決めているように思われる。一言でいうならば、プーチンはロシア国民によって尊敬される、心身ともに「強い主人」になろうと決意しているのだ。彼は、ペテルブルク市役所で第一副市長をつとめていたときにオフィスの壁にレーニン、エリツィン（当時、ロシアの大統領）ではなく、ピョートル大帝の肖像画を掲げて、その下の机で執務していた。ピョートル大帝こそが、プーチンがもっとも尊敬し、範を拝ぐ「強い指導者」であるとみなしているからに他ならない。

今日、プーチンが占めている地位は、ロシア内外のクレムリン・ウオッチャーによって「超大統領（スーパー）」と名づけられるポジションである。ロシアの政治学者、リリヤ・シェフツォワは、そのようなプーチノクラシー（プーチン式統治）を「選挙で選ばれる君主制」と名づける。たしかに大統領選挙という手続きを踏んではいる。ところが、その選挙が公正かつ民主的な手続きを順守したものであるか否かを別にして、少なくとも選挙後は、ツァーと変わらない強大な権力をふるっているからだ。

第4章 外交

強い国にも強気、弱い国にも強気

自然な植民の利用

プーチン政権によるジョージア（旧グルジア）、ウクライナへの軍事侵攻や北方領土での軍事基地増強などを見るにつけ、近年わが国日本でも、ロシアの軍事的脅威についての関心がとみに高まっている。とはいえ、ロシアの軍事戦略や対外行動を真正面から取り上げ論ずるのが、必ずしもここでの目的ではない。というのも、本書は、元来ロシア人の国民的性格を主要テーマとして掲げているからである。あくまでそのような視点に従ってロシアの外交や安全保障政策を検討することにしよう。

さきにのべたように、ロシアの自然は厳しく、地勢は劣悪とさえいっていい。したがって、ロシアの国土は密度の高い人口を豊かな状態で支え切れない。このようにして、ロシア人は少しでもベターな自然環境を求めて、未開発の周辺部へ移動してゆこうとする。とりわけ温暖な気候の南方へ動きたいという欲求は強い。これは、人間としてのいわば内発的な衝動でさえあるとみなして差し支えないだろう。

このような衝動は、アナーキスティック（無政府的）なロシア人気質によって、さらに拍車がかけられる。ロシア人は気随気ままな生活を好みがちで、政治権力のコントロールがみずからの周辺に及んでくることを好まない。自由な空気と大地を求めて、権力がより少ない辺境地帯へと移動しようとする。このようなロシア的精神が植民のルーツであることを、ペアーズはつぎのように示唆している。さきに引用した文章と部分的には重複するものの、改めて紹介するに値するだろう。「ロシア人は、空間をたのしむ。なによりも好きなのは、肘を伸ばしうる余地——仲間といっしょにであれ、何らの強制もなしに活動しうる余地である。彼らは、つねに強制を避けようとしている。ロシア人の生活は、流動的である。だからこそ、政府の行動とはまったく別個に、世界のあんなに大きな部分に拡大するようになったのだ。ロシア人は、いつも生まれながらの放浪者だった」。

ところが、自由の天地と思ったところへモスクワの政治権力が押し寄せて来て、遅かれ早かれ支配を及ぼしはじめる。これは、たんに時間の問題。逃れえない運命とさえいえる。すると、ロシア人民は再び逃走をはじめ、より束縛の少ない土地を求めて移動してゆく。イタチごっこさながらの循環を繰り返しているうちに、放っておいてもロシア国家の領土はひとりでに膨らんでゆく。無邪気な人民がさんざん苦労して入植し、開拓した土地を、後から追いついてきた国家が政治・軍事力を用いて、さほど労せずに入手する方法の結果としてである。いや、政府は時にはこのようなやり方を意識的に推進しようとさえした。ニコライ二世は、内務大臣の口からロシアの農民たちが人目をしのび、法律に違反しても全村が移住できるような「よい土地」を探しまわっているとの報告を受けたとき、つぎのように答えたと伝えられる。「そのような動きは抑圧するよりも、むしろ助けたり育てたりするほうが、より一層賢明だろう」、と。農民や知識人の自由希求欲を見抜いて、それを己の政治権力のために利用する。心にくいばかりの巧妙かつ効率のよい領土拡張術といえるだろう。

もとより、ロシア帝国はみずからの側からの積極的な政策としての植民・領土拡張政策を実施した。しかしその場合でも、人民を尖兵として利用するケースが多かった。たとえば、さきにひと握りの人民の入植者や開拓者を送っておく。しばらくして、彼らから「保護の要請があった」との名目のもとに、軍事力をもって乗り込んで一気に介入し、支配を固め、とどのつまりはロシア帝国の領土へと編入してしまう手法である。このようなロシアのやり方は、少なくとも外部から見ると、民衆と国家権力が結託した膨張、もしくは官民一体となっての領土拡大策のように映る。

ともあれ、このような植民による領土拡張は、ロシア史を貫く一本の赤い糸だといえよう。ロシアが生んだ偉大な歴史家のひとり、ヴァシーリイ・クリュチェフスキイは、著書『ロシア史』の冒頭でいきなり記している。「ロシア史のもっとも重要な基本的ファクターは移民および植民地獲得だった」、と。リチャード・パイプス教授（ハーバード大学、ロシア史専攻）の著書によると、ロシアの膨張の規模やスピードたるや、つぎのようにすさまじいスケールのものだった。たとえば一六世紀半ばから一七世紀末までの一五〇年間に、毎年、オランダ一国分の大きさの領土を獲得していくと。信じがたい話ではないか。しかし同教授が、二つの違った著作のなかでまったく同じことを書いているのだから、パイプス教授によるそのような計算はまず間違いないように思われる。

ロシアはなぜ膨張するのか

ロシアには、対外的膨張癖がある。このことは事実であるが、その説明法にかんしては、ロシア史学者のなかで大別して二つある。第一説は、パイプス教授が強調した見方である。「モスクワこそが第三のローマ」ないし「世界の共産主義運動の中心」といった使命感が存在し、そのようないわば思想ないしイデオロギーに促されて世界への侵出や拡大を図ろうと試みる。

第二説は、さきに触れたロシア特有の地勢的、歴史的な諸事由こそがロシアの膨張原因であるという。すなわち、ロシアは天然の国境をもたぬ無防備の草原であり、歴史的にたびたび外敵の侵略によって苦しめられてきた。だが、外部の力が弱まると、己の支配を及ぼす領域を拡大しようとはじめる。たとえば、同じくハーバード大学でロシア史を講じたエドワード・キーナン教授は、この立場をとる。いわく、「ロシア人を小休みないい東漸へと駆り立てた衝動は、必ずしも帝国主義の所産ではなかった。また、特定の政治家の政治的野心の結果でもなかった。それは、ひとえにロシアの地勢なのである。地理的要因こそが、すべての歴史の根底に存在するのだ」。キーナンの見方は、ジョージ・ヴェルナツキイ教授のそれに近い。ベルナツキイは、ロシアの対外的膨張をロシアの特殊な地勢で説明しようとする己の「地理的決定論」の立場を隠さなかった。

一見したところ、右に紹介した二つの説は真っ向から対立するかのようにみえる。だが、アーノルド・クチンズ（米国ワシントンDCに本拠をおく戦略国際問題研究所［CSIS］のロシア・ユーラシア・プログラム部長）によると、必ずしもそうではない。クチンズは説く。ロシアの指導者たちは、ロシアの地勢的な特性に由来する対外的膨張の根拠を理論的に正当化する「神話」が必要だと考え、「ロシア＝第三ローマ」説や「ソ連＝世界共産主義運動の総本山」説を唱えた気配が濃厚である、と。

不安感の対外的解消

ロシア人には、アナーキスティックな欲求とならんで、もうひとつの性向、すなわち不安感、劣等感が存在することを、私は前に指摘した（六二～六三ページ）。そのとき、私は、劣等感の対内的解消法として、「長いものには巻かれろ」式の強く、大きなものへの屈服という逆説的解決について説明したが（七五～八一ページ）、対外的側面については、格別触れないで宿題にしておいた。今ここで、その宿題に取り組もう。

ロシア人は、われわれがその大きな図体から容易に想像しえない類いのインフェリオリティ・コンプレックスに悩んでいる。対外世界にたいする劣等感、脆弱感、不信感、恐怖感、等々である。このコンプレックスは、すでに説明したように、ロシアがヨーロッパの奥座敷に位置し、天然の要塞に恵まれずにいるという地理的事情。また、「ロシア史は、たえざる侵入と疎外の歴史だった」といわれるまでに、外敵との闘争に明け暮れた歴史的体験に由来する。重要なことは、こういった地理的、歴史的諸条件から形成されたロシア人の不安感が、独特の外交行動様式や安全保障観をはぐくんだことである。本章では、外交分野でのそれについて説明しよう。つまり、ロシア外交に独自な論理や発想とはどのようなものか。直近のプーチン期の外交を例にとって考えてみよう。

米国流「一極主義」に反対

プーチンの外交戦略とは、一体どのようなものか？　こう大上段に振りかぶって問題を提起されると、誰しもその解答に窮してしまうだろう。なぜならば、ひとつには外交には相手方があるうえに、国内政治とはまったく異なった国際環境を考慮せねばならないので、必ずしも一指導者や一国家が意図するようには展開しえないからだ。つまり、外交戦略を形成しようとも、それがそのまま実現されることはまずありえない。とはいうものの他方、たとえば現ロシア大統領のプーチンが国際場裡で実現をめざしている外交上の目標や狙いがないわけではない。彼の諸発言や行動などから判断するかぎり、それはおそらくつぎのようなものだろう。

まず一言でいうと、国際舞台でロシアの発言権や影響力を増大させ、ロシアの国威や存在感を高めること。そのためには、まず何よりも米国による「単独一極主義」（ユニポラリズム）的国際秩序の構築を阻止すること。これが、至上命題になる。より具体的にのべると、米国中心の先進七か国（G7）、北大西洋条約機構（NATO）、欧州連合（EU）の力を弱体化させること。当然、旧ソ連「衛星」圏やソ連構成共和国だった国々（たとえばウクライナ、ジョージア）がNATOやEUに加盟し、ロシアが自己とヨーロッパとのあいだでの「緩衝地帯（バッファー・ゾーン）」を失わないように全力を尽くすこと。逆に、米国「一極主義」支配に対抗する複数の「極」を形成すること、すなわち、「多極主義」外交の推進。

たとえば、二〇か国・地域（G20）、上海協力機構（SCO）、BRICS（ブラジル、ロシア、インド、中国、南アフリカ）、「ユーラシア経済連合」などの強化。

二〇〇七年二月一〇日のプーチン大統領による〝ミュンヘン演説〟はその強い反米志向であまりにも有名になったが、そのなかで、同大統領はのべた。「購買力で測ったGDPでいうと、インドと中国はすでに米国のそれを超えている。そして同様の観点からいって、BRICSはEUのGDPを超えている。しかも専門家の予測によれば、これらの格差は将来ますます拡大する一方。グローバルな経済成長のこれらの新しいセンターの経済的な潜在力が、必然的に政治的な影響力へと転換されて、多極主義の傾向をさらに強化する。このことを疑う理由は、まったく存在しない」。

しかし、右はあくまでもプーチン大統領が狙いとして掲げているデザイン（構想）、プラン（計画）、ゴール（目標）に過ぎない。長期的にみる場合、同大統領がこのような戦略を掲げている事実それ自体は、決して忘れてならない肝要なことではある。だからといって、しかしながら、プーチン・ロシアの外交上の行動がすべてこのような戦略に関連させられ、執行されている――。こう想定するならば、それは大きな誤解であり、間違いでさえあるだろう。

まず、ソ連外交を条件づけているのは、なにも、「プーチニズム」（プーチン主義）から導き出された目標や計画ばかりとはかぎらない。ふつうの大国としてのナショナル・インタレスト（国益）のウエイトも、実に大きい。さらに、本書で私が繰り返し強調しているように、ロシア人のものの考え方や行動の特性もロシアの対外行動の大きな規定条件なのである。

外交には相手方がある

それでは、長期的、究極的な問題をいったん横に置く場合、ロシアの日々の外交行動にみられる特色は、一体何だろうか？ それは、他の諸国のそれと同様、その時々の状況に即した行動であるとしかいいようはない。

たとえば、米国のトランプ大統領の外交政策は、極論すれば出たとこ勝負の即興劇ともいうべきそれであり、そこにはほとんど首尾一貫性や哲学というものが見出されない。また、わが国日本にたいしても一日も早く総合的な外交方針を確立せよ……との声が、しばしば聞かれる。だが、このような批判を口にすることは実にやさしいが、総合的な目標や戦略を作成し、とりわけそれにマッチする外交諸政策を首尾一貫して遂行する——。これは、実におこなうに難いことである。右のような批判をおこなう者は、ひょっとすると外交の本質を十分理解していないのではないかとの疑問すら提起される。

というのも、外交とは文字通り諸外国との交際であり、相手あっての外交だからである。自己と相手側が置かれた特別な場（シチュエーション）というものも、存在する。自己と相手側との「力の相互関係」も重要な要素である。これらの要素を無視して、仮にどんなに立派な計画や方針をたててみようとも、それはたんなる絵に画いた餅とすら評さねばならない。結果的には、ひとり相撲に終わるのがオチだろう。同様に、「自主」外交、「独自」外交、「主体的」外交――これらはすべて、まことに結構なスローガンではある。しかし、なかなかその実践や実現はむずかしい。はじめから形容矛盾な用語、もしくは土台無理な要求とすら評しうるだろう。イギリスの元外交官であり、かつ外交研究の第一人者だったハロルド・ニコルソン卿は、「いかなる国も、一貫した外交政策なるものを計画しえないのではないか」とさえのべている。

要するに、ロシア外交は、一定の壮大なる世界大戦略に従っていわば理路整然、計画的に進められてきているというよりも、その時々の外部世界や相手側の力や出方をも含めた意味での広義の状況にたいする反応でしかありえないのではなかろうか。やや極論かもしれないが、このようにすら言わざるをえない。たとえばヘンリー・キッシンジャーは、『ホワイトハウスの歳月』のなかで、つぎのようにのべている。「さまざまなソ連の動きをみて、それをひとつのグランド・デザインの一環だととらえたがる傾向が一向に絶えない。……実際の経験によれば、そういうケースがあったとしても、ごく稀だった。キューバのミサイル危機からアラブ・イスラエル戦争を経てチェコ侵入事件にいたるまで、ロシアの政策には、その時と場合に応じた思いつき的な要素が多かった」。

右の一文のなかに、たんにプーチン外交ばかりでなく、帝政ロシア、ソ連時代の外交一般に遡っても私がのべたいことが、もとより私とは比較にならない豊富な体験に裏づけられてより的確にまとめられている。したがって、私としてはただつぎのようなことをつけ加えるだけにしよう。

イデオロギー・フリー

プーチン政権（二〇〇〇年〜）の外交の特徴は、それが必ずしも特定かつ明確な青写真やビジョンを掲げて、その実現をめざす意識的な営為ではない。もとより外交は、真っ白なキャンバスを開き、己の好む絵具で自由自在に色をつけうる作業ではない。国際的環境や相手方というものが存在する。したがって、どの国の外交であれ、右のような営為を意図すれば、それはお門違いということになろう。

そうであるにもかかわらず、ソビエト期の外交は違った。少なくとも公式上、ソ連外交はマルクス・レーニン主義イデオロギーに準拠する一連の外交目標を成就しようとする努力を意識的におこなっていた。たとえば、国際場裡での民族解放運動の支援。これらの運動をして究極的には「社会主義」体制の建設を達成させるよう仕向ける。そして究極的には、資本主義諸列強の「帝国主義」的支配の野望をくじき、世界全体を社会主義化する——。ソ連外交は、こういった理想ないしは野望の成就を看板に掲げ、かつその目的を隠していなかった。このような共産主義イデオロギーにたいする帰依や信仰は、ソ連／ロシアで一体いつ頃から失われるようになってしまったのだろうか？　これは、一概に答ええない難問かもしれない。ひとつには、今日なお未だこの思想を信じているロシア人すら存在するからである。

プーチン個人にかんしていうならば、一九五二年生まれの彼は、間違いなく共産主義のイデオロギー教育の洗礼を受けた世代に属する。多くのソ連人がマルクス・レーニン主義イデオロギーに事実上、疑問を差し挟みはじめたゴルバチョフ政権の成立時（一九八五年）に、プーチンはすでに三三歳に達していた。また、エリツィン政権がソ連邦解体を宣言したときに、プーチンは三九歳だった。このような事実から推測して、プーチンの思想、すなわち「プーチニズム（プーチン主義）」のなかにはある程度までマルクス・レーニン主義のイデオロギーが残存しているばかりか、その重要部分を形成している。こうみなしても、まったく的外れでないのかもしれない。

ところが他方、プーチンは必ずしも完全かつ模範的な共産主義者とはなりえなかった。こう疑って差し支えない理由が存在する。そのような事由のひとつとして、ソ連共産党に入党する時期にかんしてプーチンが他人に比べて若干遅れをとった事情を指摘してもよいかもしれない。ソ連時代に子供たちは、ふつう小学校三年生（一〇歳）のときに「ピオネール（児童組織）」に入る。「ピオネール」とは、一〇～一四歳の少年少女を対象にする児童組織である。このグループに入ったあと、次の段階すなわち「コムソモール（青年共産主義同盟）」へ加盟するという過程を歩む。そして「コムソモール」での試験期間を経て、はじめて正式の共産党員になることが認められる。

ところが、プーチン少年はピオネールに入るのが遅れた。プーチンの小・中学校時代の担当教師のひとり、グレーヴィッチ女史は、教え子だったウラジーミル・プーチンについての回想録を二冊も出版している人物である。彼女は、そのうちの一冊、『将来の大統領についての回想』（二〇〇一年）のなかで、つぎのように記している。彼女が受けもったクラス（五年A組、一二歳）の四六〜四七人の生徒のなかには、ピオネール入団が未だ許可されていない者が二〜三名いた。ボロージャ（ウラジーミルの愛称）は、明らかにそのなかのひとりだった、と。

ボロージャがピオネールに入り、同組織メンバーの象徴である赤のネッカチーフをつけえたのは、ようやく六年生（一二歳）になってからのことだった。「どうして六年生になるまでピオネールに入団できなかったのか？」。こう率直に尋ねられたときに、プーチンは公式伝記『第一人者から』のなかで、つぎのように正直に答えている。「私は不良だった。ピオネール団員でなかった。……私は実際、チンピラやくざだった」。そのようなプーチンですら、結局、コムソモールへ加盟することは許された。だがそれは、同級生にくらべ約二年遅れの八年生（一五歳）になってからのことだった。

体制崩壊の衝撃

プーチンのイデオロギー不信感を促進することに貢献したと思われる、さらに重要な彼の体験を紹介しよう。それは、彼が一九八五年から一九九〇年までの約四年半にわたってKGBから派遣されてドレスデンに滞在中にみずから経験した東独のホーネッカー「社会主義」体制の無残な最後だった。

東ドイツはかつて「社会主義」の優等生たることを自認していた。それにもかかわらず一九八九年、あれよあれよという間に一連の出来事がまるで数珠つなぎのように発生して襲いかかってくるのを、止めえなかった。すなわち、「ベルリンの壁」の崩壊。エーリッヒ・ホーネッカー体制の瓦解。西独による東独の事実上の吸収・合併……等々。そればかりではなかった。東独政権の解体がひとつのきっかけとなって、東・中欧の「衛星」国はまるで将棋倒しのようにつぎからつぎへと「社会主義」体制を終焉させ、ソ連の手からこぼれ落ちてゆくことになった。

当時、チェキストとして在ドレスデン・ソ連領事館に勤務中のプーチンは、いやが応でもこれらの歴史的な激変をみずからの目でつぶさに目撃することになった。プーチンは、公式伝記『第一人者から』でインタビュアーの質問に答える形でつぎのように語っている。まず、彼自身は「東ドイツでこのように突然変化が発生することを前もってまったく予想しえなかった」。つまり、「東独の群集が国家保安省の建物を急襲し、その内部も破壊し尽くしたうえに」、「プーチンたちが勤務しているビルも取り囲みはじめる」という深刻かつ重大なな事態である。

何十年に一度しか起こりえないこのような地殻変動は、当然、プーチンの人生観や政治にたいする考え方に重大な影響を及ぼしたに違いない。大胆に要約すると、それはプーチンにつぎのような教訓をあたえた。第一に、特定のイデオロギー、政治・経済体制、ましてや政治指導者を信用することが禁物であること。こういった類いのものは、危機に直面するや瞬時に変質するばかりか、もろくも崩壊してしまう存在である。マルクス・レーニン主義のイデオロギー、それにもとづいて形づくられていた東独型「社会主義」、そしてホーネッカー個人の運命が、まさしくそのことを実証した。

そのようなイデオロギー、体制、指導者を東ドイツに押しつけ、支援していたのは、ソ連邦のはずだった。ところが、右のようなものがつぎつぎに目の前で崩壊してゆく事態が現出したにもかかわらず、クレムリン当局はたんにそれを傍観するだけで、何ら有効な救済策も対応措置をとろうともしなかった。

その不甲斐なさ加減を、プーチン自身は、『第一人者から』でつぎのように厳しく糾弾している。「ソ連邦（自身）が病んでいた。それは権力の麻痺という癒しがたい病だった」。プーチンはつづける。「私が何事にもましてくやしかったのは、ソ連がヨーロッパにおける地位を一挙に失ってしまったこと」だった。プーチンにとり「最大のショックだったのは、ソ連が何らの手を打つこともなく、すべてを手放して（東ドイツをはじめ東ヨーロッパから）立ち去ったことだった」。

プーチンは、必ずしも特定のイデオロギーに固執しない外交政策を採る――。このことが十分分かったとして、では、彼の対外行動様式には何らの特色も見出されないのだろうか。あえてそう尋ねられるならば、私個人は、いや、そうではない。おそらくチェキスト独特のつぎのように際立った特徴が存在する、と答えたい。共産主義者は理想主義者である。彼らは、あるべき（〝ゾルレン〟）目標を掲げ、その実現をめざし努力する。それにたいして、チェキストは現実主義者である。「力の相関関係」を冷静に観察しその現実（〝ザイン〟）に従って、自分より力のある者には逆らわず、己より力の少ない者を屈伏させようとする。このようなチェキストならではのリアリストないしはプラグマティストとしての立場から、プーチン外交の諸特徴が生まれてくるように思われるのである。私がその主要なものとみなす三つの特色を、以下、指摘し説明を加えよう。

強国にたいしても強気

ロシア外交は、周囲の状況にたいする反応としての側面をもつ。このことは、その他の諸国の外交と同様である。しかも、ロシア外交の場合、さきにのべたロシア人特有の外部世界にたいする不信感、劣等感によって、その反応的な要素がより一層顕著なものにさえなりがちなのである。私は、このことを強調したい。ロシア人は、われわれの想像をはるかに超える程度に臆病で、劣等感を抱き、自信を欠如している人々なのである。対ソ外交に長年従事した米国のジョン・ディーンは、そのようなロシア人を、「噛むことよりも吠えることが多い犬」にたとえている。このたとえの当否はともかく、プーチン・ロシアもまた、われわれが想像する以上に周囲の状況に注意深く目を配って、相手方の出方を熱心に注視していることは、記憶するに値するだろう。

ロシア人はまさに己が臆病で自信を欠くがゆえに、その脆弱感を相手に気どらせまいとして、故意に煙幕をはったり、攻撃的にみえる行動に出たりするケースが多い。もし弱味をみせたり、もし内心の懸念をあらわにしたりするならば、たちまちにして相手側はそれに乗じようと試みるに違いない。こう恐れおののいている。その心配を相手側に気どらせないようにしようと欲して、ロシア人は時としてかえって逆に強気の行動に出るような場合すら珍しくない。

欧米の先進諸国、とくに米国にたいするロシア人の劣等感や脅威感たるや、われわれが想像する以上のもののようである。ところが、そうとは知らぬ米国は、ややもするとロシアの力を過大評価（たとえば、「ミサイルギャップ」）しがちだった。結果として、ロシアはこれまで数々の得点を収め、外交上の勝利をかせいできた。

『膨脹と共存』という題の、もっとも優れたソ連外交史を書いた故アダム・ウラム教授

（ハーバード大学、ロシア専攻）は、戦後ソ連の膨張が実はアメリカの意図と能力によるところが大きかったとすらのべている。つまり、西側、とくに米国が実はロシアの外交政策の影の決定者となっている局面が多いと説いたのだった。だから、今後、ロシアの膨張を阻止するのも助成するのも、ひとえに米国次第である。このような教訓すら、ウラム教授は示唆した。

米国のような自分とくらべて強大な国にたいしてさえ、ロシアは己を強気にみせかけようとする。ましてや、ロシアは日本のような自分とくらべ〝力〟の弱い国にたいしては、ますますもって強い態度に出る。いや、弱小国にたいして優越感を誇示することによって、強国にたいする劣等感を一挙に代償させようとすら欲して、弱い者いじめをおこなう。

有名な精神分析学者の故エーリッヒ・フロムも、著書『自由からの逃走』のなかでつぎのようにのべる。「劣等感と優越感は、ともに自己にたいする真の自信を欠くことに由来する。マゾヒズム的傾向とサディズム的傾向——これらは、矛盾しているように見えるものの、つねにいっしょに発見されることが多い。両者は、一枚の銅貨の表と裏の関係にある。少なくとも劣等感、無力感は、優越感や力への願望によって補償されることを欲する」、と。

中小国はあとまわし

『ロシア人』の著者スミスは、つぎのような体験を記している。ある昼食会の席上でスウェーデンの外交官は、スミスに向かってのべた。ソ連当局は、己とくらべ〝力〟の弱い国、スウェーデンの外交官にたいして傲慢な態度をとる。これは、〝力〟崇拝のロシア的性格に由来する。彼個人はこう確信しているとして、彼はつぎのようにつづけた。「ロシア人は、あなた方、アメリカ人を敬意をもって取り扱っています。というのも、あなた方は力をもっており、言葉の背後に何かがあるからです。ところが、ロシア人はわれわれを決してそのようには扱いません。われわれは、強くないからです。われわれは、小さな国だからです」。

このスウェーデンの外交官の言葉は、中小レベルの力しかもたない国の外交官として被害者意識にもとづく一方的な見方なのだろうか。必ずしもそうとは、言い切れないだろう。たとえば、つぎのような事実がある。一九五九年、フルシチョフ・ソ連共産党第一書記が米国訪問の招待状を受け取ったとき、彼にはすでに先約があった。実は、スウェーデンを含むスカンジナビア諸国からも、フルシチョフは公式訪問の招待を受けていたからだった。この件にかんして、フルシチョフ自身が『最後の遺言』のなかでつぎのように正直に告白している。当然、「礼儀上からいうならば、先に招待されたほうを先に訪問すべきだった」。それにもかかわらず、フルシチョフは、結局、スカンジナビア訪問を延期し、米国への訪問をそれに優先させた。というのも、フルシチョフ自身が認めているように、「アメリカは、私の頭のなかや世界観のなかで特別な位置を占めていた」からである。それはなぜか。さらにその理由を問うならば、フルシチョフ自身は率直に答えている。「アメリカの実力というものは、決定的な重要性をもつ。だから、われわれとしてはわが国の権威を代表すると同時に、交渉の相手方にも同等の敬意を払わなくてはならないからだ」(傍点、木村)。

“柔道型”外交

プーチンの対外行動様式の第一の特徴を、私は思い切って“柔道型”外交と名づけたい。
プーチンが柔道を好み、黒帯の所有者であることは、よく知られている。彼は大統領公邸に講道館の創設者、嘉納治五郎の銅像を飾り、嘉納が書いた「自他共栄」の掛け軸を掲げていると伝えられる。とはいえ、プーチン本人が果たして嘉納が説いた高邁な講道館精神を本当にマスターした人物なのか。私は疑問に思う。

そう疑わせる理由のひとつは、プーチンが柔道に興味を抱いた動機が必ずしも純粋なものでなかったからである。彼は、少年時代、背が低く、かつ貧弱な痩せた体格の持ち主だった。そのために、彼がわずか一部屋からなる息苦しい自宅アパートから抜け出して、多くの時間を過ごしたサンクト・ペテルブルクの「通り」で、彼はとうてい大きな顔をしえず、事実いじめられ放しだった(一〇九~一一一ページ)。そこは、頑強な身体能力の持ち主で闘いに勝つだけが大きな発言権をもつという「ジャングルの掟」が支配する世界だった。プーチン少年は、強くなりたいと念願しボクシングをはじめたものの、たちまち鼻をなぐられて大怪我をし、すぐに諦めてしまった。

その後、身体条件が劣る者でも技さえ習得するならば、背が高く力の強い者にたいしても十分闘いうる柔道というスポーツに魅せられるようになった。彼は、柔道ジムに熱心に通うようになり、ついにペテルブルク地区のチャンピオンになるまでに上達した。ついでながら、プーチン少年の柔道トレーナーや柔道パートナーたちの多くは、その後ロシア大統領になったプーチンによってモスクワで厚遇を受け、取り立てられ、今日、億万長者になりさえしている。

プーチン大統領が二〇一四年三月一八日、ウクライナのクリミア半島をロシアに併合したとき、欧米諸国の少なからぬ数のクレムリノロジストたちは、プーチンがまさに〝柔道型〟の外交行動様式を採ったがゆえに勝利を収めたのだと評した。日本人からみると、そのような見方は柔道を必ずしも正しく理解したものではない。だが、その点には目をつぶって、ここでは問題にしないことにしよう。

彼ら欧米諸国の者たちが強調したのは、あくまでもプーチンが、欧米人が愛好する〝チェス型〟の外交行動様式とはまったく異なるやり方で勝負を挑む点だった。チェスでは、まず、プレイヤーのどちらが先に最初の手を打つかを決め、その後、己と相手方は相互主義の厳格なルールに従って駒を順番に動かす。ところが柔道では、いつどちらの側から攻めてもよい。相手側に隙があれば、攻勢に出る。隙が見出されなければ、守備を固める。攻撃に出て失敗しても、チャンスさえあれば再度、攻撃しても一向に構わない。

プーチンがクリミアを併合したときの電撃作戦は、まさしく〝柔道型〟の行動に他ならない――。欧米の者たちの目には、こう映った。当時、ウクライナ政府はマイダン（広場）革命後の首都キエフで新しい政権固めに精力を集中している最中で、クリミア半島にまでその注意を払いえなかった。欧米諸国も、同様だった。そのようなどさくさ紛れを利用して、プーチン政権はクリミア半島駐留中の黒海艦隊の兵士たちにプラスして、ロシア兵の制服を着た「自警団」を半島に送り込んだ。その武力を背景にして、クリミア自治共和国にロシア憲法違反の住民投票を実施させ、併合賛成の体裁をつくり上げたのだった。

プーチンは、相手側の隙や失策につけ入ることが、実に巧みである。二〇〇八年夏のグルジア（現ジョージア）への軍事侵攻も、ミハイル・サアカシュビリ・グルジア大統領（当時）がおこなった軽率な南オセチアへの軍事介入を口実にした。それを利用して、何とロシアに隣接する南オセチア自治州ばかりでなく、黒海沿岸のアブハジア自治共和国にまで軍事侵攻をおこない、国家承認をあたえた。これも、同様の手口だったといえよう。

ちなみにいうと、第二次世界大戦終結後の同じくどさくさ紛れを利用して、スターリンが日本から北方領土を奪った手法も同種のものだった。同領土に上陸してきたソ連兵たちが日本人住民に向かい真っ先に尋ねた質問は、「米軍はすでに上陸しているか？」との問いだったからだ。これは、後述するように空隙さえあればどこへでも膨張するというアメーバ式拡張、もしくは鍵を掛け忘れている部屋ならばどこへでも侵入するというロシアが十八番とする「ホテル泥棒」式行動様式以外の何物でもない。

国内の困難から目を逸らす対外行動

プーチン外交の二番目の特徴は、それが内政上の諸困難からロシア国民の目を逸らすための「打ち上げ花火」機能を果たす狙いをになっているケースが多いこと。

たしかに、どの国の外交も、内政と密接不可分に関連している。〈外交は、内政の延長〉。このような極言をのべる者もいるくらいである。内政も外交も、ともに同一指導者による行為である以上、両行為がそれほど変わったものになりうるはずはない。とはいえ、内政と外交は相手方も環境も異にする。内政は、指導者が自分と同一の民族である国民に対しておこなう営為である。それにたいして、外交は、自国民とまったく異なる他国民やその指導者に向かって、国際的な舞台で実践する営為である。このような理由で、外交は、たいていの場合「二次元」の人間営為にならざるをえない。自国民と相手側の国民の両方を説得し、満足させるという二つの使命を同時遂行せねばならないからである。

まず右のようにのべたあとで、なお強調したいことがある。それは、プーチン外交に明らかに見てとれる傾向である。それは、「プーチン1.0」(二〇〇〇～〇八年)と「プーチン2.0」(二〇一二～一八年)の外交をくらべると、明らかにアクセントが違ってきている事実だ。「プーチン1.0」に存在していたように思われる外部世界にたいする外交上の低姿勢が、「プーチン2.0」になるとまったくといってよいほど消え去っていることである。前者の典型例は、二〇〇一年九月一一日の米国同時多発テロ発生直後にプーチン政権が採った対米協調路線といえよう。ところが、それとはまったく対照的に二〇一七年末の今日時点での米ロ関係は冷戦終結後、最悪と称されるまでに落ち込んでおり、「ミニ冷戦の再開か」とすら囁かれている始末なのである。

プーチン外交にこのような転換をもたらした原因は、一体何か。それは、おそらく数々あげられる。そのうちの重要なひとつとして、「プーチン1.0」が恵まれていた僥倖、すなわち空前のオイル・ブームが今ではほぼ完全に過去のものになってしまった事実を指摘しうるだろう。そのために、プーチン大統領は、二〇一二年五月にクレムリンに復帰し「プーチン2.0」をはじめるに当たり、己の政権の正当化事由を転換せざるをえなかった。

すなわち「プーチン1.0」では、ロシア国民の物質的な生活水準の向上を約束するかぎり、プーチン政権は彼らの支持を十分当てにしえた。ところが石油ブームが去った後では、同様のことももはや期待しえない。そこでプーチン大統領は、思い切ってロシア版の「保守主義」を提唱するようになった。すなわち、ロシアは独自の地理、歴史、人種、民族、言語、宗教、文化……等々に由来する輝かしい伝統的な価値をもつ国家ないし社会である。それらは、世界のどこに出しても恥ずかしくない。したがって、欧米型の民主主義や市場経済にもとづく発展モデルをそのまま猿真似したり、それに追随したりする必要性などまったく存在しない。ましてや、米国主導の「単独一極主義」外交に従わねばならぬ理屈など存在しない。

　このように主張しはじめたプーチンは、ロシア国民の目を国内的な閉塞状態や経済的困難から逸らすための方策として、目に見える形での外敵を設定し、彼らにたいする「勝利をもたらす小さな戦争」の敢行にも熱心になった。「勝利をもたらす小さな戦争」とは、たしかに帝政期以来、ロシアの歴代の指導者が訴えた常套手段ではある。だが、プーチンはこの手法の愛好者であり、かつその戦術使用の名人なのである。

　たとえば一九九九年夏、首相に任命された当時のプーチンはまったく無名の人物で、他の三人の前任首相と同様、エリツィン大統領（当時）による「使い捨て」要員とみなされていた。ところが、そのような彼は、チェチェン過激派勢力にたいして容赦ない掃討作戦を遂行し、己の知名度を一躍上昇させたのだった。さらにプーチンは、「タンデム（双頭）政権」期になると、彼の弟子ドミートリイ・メドベージェフ大統領をけしかけて、ジョージア奥地への軍事侵攻を敢行させた。また、以前にはロシアの同胞国だったはずのウクライナにたいし、軍事力を背景にしてクリミア半島を奪っただけではまだ十分満足せずに、ウクライナ東南部へも事実上の介入を敢行した。さらに、プーチン大統領は二〇一五年九月、シリアへの空爆も命じた。

　プーチンにとり実に幸運だったのは、ロシア国民側もまたちょうど、従来悩んでいたトラウマ（心的外傷）を治癒したいと思っていた矢先だったことである。プーチンは、そのタイミングを見事にとらえることに成功したわけである。ロシア国民は、冷戦での事実上の敗北、ソ連邦の解体、東・中欧「衛星」圏の喪失……等々によって傷つき、長年のあいだインフェリオリティ・コンプレックス（劣等感）にさいなまれていた。そのような折、プーチンは、とりわけ「プーチン2.0」で彼らのナショナリズムないし愛国心を大いにくすぐる対外行動をつぎつぎに採ってみせたのだった。ロシア国民は、プーチンがクリミアを併合したときプーチン支持率を八三％台、シリア空爆の折には八九・九％へと急上昇させた。こう考えてくると、ロシア国民の大半は、プーチンの強硬的な対外政策の同調者、いや「共犯者」とすらみなすことが可能なのかもしれない。

“ひび割れ”の利用

プーチンの対外行動様式に顕著な第三の特徴は、敵の間隙に巧みに乗じるやり方である。すなわち、己にくらべてより強い陣営の割れ目を敏感に見つけることにとりわけ熱心で、そのような隙間を発見するや否や、それを己に有利なように利用することに実に秀でている。そのような技の実例を一、二しめしてみよう。

二〇一六年一一月の米大統領選の結果は、プーチン政権にとり願ってもない朗報だった。ヒラリー・クリントンというプーチノクラシーに手厳しい民主党候補が落選してくれるばかりか、オバマ前政権の対ロ政策を修正するかのような諸発言を繰り返していたドナルド・トランプ候補が当選したからだった。

だが政治の世界では、一寸先は闇。トランプのホワイトハウス入りの前後期から、情勢は急転した。トランプ政権を三つの「ロシア疑惑」（もしくは「ロシア・ゲート」）が襲ったからである。まず、プーチン政権がクリントン候補にサイバー攻撃を加えたとの「共謀疑惑」。ついで、トランプの側近たちが、オバマ政権による対ロ制裁の見直しをロシア側とひそかに協議したのではないかとの「密約疑惑」。右の疑惑に関する捜査の中止を、トランプ大統領が連邦捜査局（ＦＢＩ）に指示したのではないかとの「司法妨害疑惑」。結果として、米ロ両国関係は〝冷戦〟以来、最低地点にまで落ち込んだ。実際、トランプ大統領は二〇一七年七月のＧ20サミット（ハンブルク）まで、プーチン大統領と面会しようとしなかった。

こういうときには、すべからく穴籠りを決め込んで、じたばたせぬにかぎる。これが、プーチン・ロシアのとりあえずの反応だった。もとより、これはまったく何もせずに手をこまねいていることを意味しない。相手方が少しでも隙を見せるや否や、攻勢に出ることを妨げない。かつてレーニンは語った。「力の勝っている敵に打ち勝つためには、たとえどんなに小さなものであろうとも、敵のあいだに存在する〝ひび割れ〟を利用することが肝要である」（『レーニン全集』、ロシア語版四一巻）。プーチン大統領は、こう説いたレーニンの忠実な生徒とみなしうるだろう。彼の北朝鮮政策が、その好例を提起する。

プーチン大統領は、一時期、北朝鮮にたいしてすっかり関心を失ったかのように見えた。

たとえば、ロシアと北朝鮮とのあいだの貿易高は年間一億ドルにまで落ち込んだ。北朝鮮が支払い能力をもたないからである。二〇一四年に、プーチンは、北朝鮮が累積させていた一〇億ドルの借金のうち九〇%を棒引きし、残りの一〇%も両国共同プロジェクトにあてることにした。金正恩（キムジョンウン）委員長は、ロシアによるこの寛大な措置に感謝し、たとえば二〇一七年正月、中国に先駆けてロシア宛てに年頭の挨拶を送ったくらいだった。

プーチンによる地道かつ巧妙な「種まき」行為は、チャンスが到来すると思わぬ収穫をもたらす。というのも、金正恩登場後しばらくして、北朝鮮とその最大の保護者、北京との関係が若干ぎくしゃくしはじめたからだった。そのような疑惑を深くしたのは、つぎのような一連の出来事だった。

まず、金正恩は二〇一三年、それまで中国との橋渡し役をつとめていたと推測される張成沢（チャンソンテク）を粛清した。ついで二〇一七年、兄の金正男（キムジョンナム）もおそらく平壌の指図によってマレーシアで暗殺された。さらに二〇一七年四月、トランプ大統領は訪米中の習近平国家主席との会食中にシリア空港への攻撃を敢行し、中国の北朝鮮への態度を牽制した。この脅しが功を奏したのか、平壌による弾道ミサイルの連続発射行為にたいして国連安全保障理事会が非難決議を採択したとき、中国は、ロシアと異なり拒否権を発動しようとせずに、棄権するだけにとどまった。

以上のようにして生まれた中朝関係の微妙な〝ひび割れ〟を利用するかのように、モスクワは平壌に接近しはじめた。たとえば、ロシア極東のウラジオストクと北朝鮮北東部の経済特区・羅先(ラソン)の羅津港とのあいだに、両国は定期航路を開設した。使用される北朝鮮の貨物船「万景峰(マンギョンボン)」号（旧型）は、極東の森林伐採や建築現場で「3K」作業に従事するための北朝鮮からの出稼ぎ労働者——現在、三万人以上が働いていると推測される——などをロシアへ運ぶ。ロシアから北朝鮮向けには農業機械、消費物資、そしてひょっとするとミサイル関連部品すら運び込まれるだろう。

　プーチン政権が平壌にたいしてこのような「助け舟」を提供することは、対北朝鮮制裁網に「抜け穴」をつくり、みずからは漁夫の利を得ようとする行為に他ならない。英語の表現でいうと、まさに「泥水に乗じて魚を獲る（fish in muddy waters）」。ロシアは、さらに北朝鮮に石油の提供すらはじめた模様である。これまた、トランプ米大統領による執拗な要請によって習近平・中国が北朝鮮への石油供給を中止することに踏み切ることによって生まれた間隙を縫ってのプーチン政権の素早い行為のひとつとみなしうるだろう。ロシアの諺もいわく、「ロシア人はゆっくりと身を隠すが、そのあと素早く走る」。

アメーバ式膨張——その対応策

　以上のべてきたことから、プーチン外交の特色が明らかになろう。すなわち、プーチン外交には、必ずしも確固とした原則や戦略など存在しない。時々の国際状況、とりわけ「力の相関関係」の変化、そして主要プレイヤーや相手方の出方などを注意深く観察する。その隙間を縫って自国ロシアの影響力の拡大、ひいてはプーチン自身のサバイバルを図ろうとする。すぐれて状況主義的、機会主義的、便宜主義的な行動様式を採る。

このようなロシアの動きを、私個人はアメーバ式行動様式と名づけている。アメーバは、放っておくと無限に膨張しようと欲する。ただし、その伸長を妨害する大きな壁に邁進すると、それを乗り越ええないかとしばしのあいだ、せめぎあいを試みる。どうしても越えられないことが判明するときにかぎって、その方向への伸長を断念する。そして、つぎの瞬間には、もう抵抗のより少ない方向への膨張をすでにはじめる。

状況次第で、己の行動様式を決する――。共産主義イデオロギーという指導理念を失った後のロシア外交は、このような傾向を顕著にしめすようになった。私の観察に同調する見方をしているのは、ジョン・スコットである。米誌『タイム』のモスクワ特派員を五年間もつとめたスコット記者は、ロシアが〝ホテル泥棒〟に似た行動様式を採ると言う。ホテル泥棒は、ホテルの客室のドアを軽くノックしてみる。ドアに万一鍵がかかっていなければ、しめたもの。直ちに侵入して、目的を達成する。鍵がかかっている場合であっても、ノックを試みて失うものは何もない。ダメで元々。そのような部屋はさっさと諦めて、隙のありそうな別の部屋を試みる。このようなロシア式対外行動様式に対処するベストの方針は、何か？スコットは、アドバイスする。「戸締り用心、火の用心」。隙をみせないこと――これに尽きる、と。外交官のディーンも、引用済みのロシアを「噛むよりも吠えることが多い犬」というたとえたあと、つけ加えることを忘れていない。「相手が無力だと分かったときには噛みつく犬」でもある、と。

第5章 軍事

不安ゆえの「過剰防衛」癖

不安と不信から生じる過剰防衛癖

ロシア人の劣等感や脆弱感は、何度も繰り返すようであるが、たぶんにロシア独自の地理的、歴史的条件から影響を受けて形づくられた。このことは、ある程度まで間違いない。そして、そのようなロシア人の特殊な心理的な要因は、ロシア人ならではのユニークな安全保障観をつくることにも貢献した。——このこともまた、何人も否定しえないよう思われる。

では、ロシア人独特の安全保障観とは何か？

それは、全面的ないし絶対的な形に近い形での安全保障を確保しないと安んじて眠れないという気持ちである。俗に「過ぎたるは及ばざるが如し」というが、こうしたロシア的な思考ははなはだ他人迷惑であるばかりか、危険な病（やまい）である。というのも、安全保障とはしょせん相対的なものだからである。絶対的な安全保障というものは、この世の中に存在しない。一〇〇パーセントの安全は、潜在的な敵となりうるものをすべて根絶し、自分一人生き残ってはじめて得られる類いのものだからである。そこまでは極端な形をとらないにせよ、ロシア人の不安感や不信感は、相手側をはるかに上回る保障をもたないと落ちつかないという過剰防衛癖となってあらわれがちである。

ソ連人の伝統的な被包囲意識ないし被害者意識に由来する過剰保障癖は、通商面でも顕著である。このことを指摘、強調した故内村剛介氏（上智大学教授）の文章を引こう。内村氏は、終戦直後から日ソ共同宣言（一九五六年）までの何と一一年間の長きにわたってシベリアのラーゲリ（収容所）につながれ、のちに某日本商社のモスクワ支店長として日ロ貿易の実務に携わった人物。ロシア人の心性の裏の裏まで見すかした日本人である。氏は、著書『ロシア無頼』のなかで、まず「自分自身を信じない者」、「自分自身の幻影におびえる者」としてのロシア人を相手に「信用」を説くことくらいむずかしいことはない。こう慨嘆したのち、日ロ貿易交渉にみられたロシア人の「疑心暗鬼から起こる過剰保障」について、つぎのように書いている。

「木材売買の交渉、漁業交渉、その他、日ソ交渉の現場に立つ者は、ソ連の疑心暗鬼から起こる過剰保障にほとほと手を焼いている。一〇〇パーセント保障といえば、一二〇パーセントと出てくるからである。『日本側は、その海域では一切その魚種は取らないと約束します』といったのでは、相手は安心しない。『一切取らないなら出漁しないでいいでしょう』と締め出しにかかってくる。『いや他の魚種は取るのです』『日本側はあの魚種は取らないと譲ることができたのですから、この魚種についても〝互譲の精神〟を発揮してくださいな』ということになり、日本が北洋からついに全面的に締め出されそうになっていることは、人のよく知るところである。これを厚かましさ、図太さとばかり見る者は、ソ連の政策担当者の心性を直視していないというべきだろう」

軍事面における過剰保障

ロシア人が望みがちな過剰保障の欲求は、狭義における軍事的な安全保障の分野においてとりわけ顕著である。ジョージ・ケナンは、晩年近くに「一八八〇年代のロシア史」の研究に凝っていたとき、つぎのような事実を発見した。すなわち、当時の帝政ロシアは、みずからが必ずしも相手側を攻撃する意図をもたないにもかかわらず、ヨーロッパ戦線にきまって相手側の二倍以上の軍勢を貼りつける傾向をもっていた、と。ソ連人は、二倍でなくて三倍の兵力や兵器をもたないと気が済まなかった。こうのべる別の専門家もいる。ワルシャワ条約機構軍は、一時ヨーロッパ戦域にＮＡＴＯ（七〇〇〇両）の三倍の数（二万一〇〇〇両）

の戦車を展開していた。これは、たんに帝政ロシア陸軍の伝統に従ったものかもしれない。攻防比率、すなわち攻める側の戦力が守る側の戦力の何倍ある場合、攻めて差し支えないのか。この比率は、第二次世界大戦頃までは三倍、最近では六倍といわれている。三倍といわれた時代でも、慎重なソ連は四倍以上の兵力をもったときにはじめて攻撃をしかけた（満州での対関東軍攻撃の場合）。したがって、そのような慎重なロシア式思考の伝統から判断して、ロシアが相手側にたいし六倍以上の兵力をもたない場合、容易には攻撃に出てこないだろう。このように説く見方すらも存在するくらいである。

ともあれ、ドミートリイ・サイムズ（「ナショナル・インタレスト・センター」CEO）は、絶対的安全保障を求めがちなロシア式伝統がソビエト時代にも受け継がれていたことについて、米議会でつぎのように証言した。少々長い引用となるが、元ソ連人の意見として傾聴に値する。

「ソ連人は、以前のツァーたちと同様に、安全保障を、考えうるあらゆるシナリオに対抗する適当な盾とみなす傾向が顕著です。超大国のひとつが絶対的安全保障をもつことは、とりも直さず他国にとっての不安を意味する同義語である。キッシンジャー氏がこうのべても、ロシアの支配階級にとっては馬の耳に念仏なのです。この点から申しまして、ソ連が米国にたいする［軍事的］優越を求めているか否かの議論は、ナンセンスになりましょう。ソ連にとり、どれだけの軍備が十分であるかを決定する責任のある人々にとり、対等、安定、平等の問題など大して意味をもたないからです。これらの人々の野心は、それが現実のものであれ、想像上のものであれ、ソ連邦を外国の脅威から安全なものにし、すべてのライバルが歯をもたぬようにすることなのです。この絶対的安全保障の定義が、ソ連の政治サークル内で支配的なあいだは、それが主要な障害物となって、米国とのあいだに意味のある軍縮や真の意味での宥和などありえないことになりましょう」（傍点、木村）

防衛的膨張主義

もしロシアの過剰防衛が心理的な劣等感にもとづくというだけならば、われわれ外部の者はさほど大騒ぎする必要はないだろう。ところが、そのように簡単に安心しておれない事情がある。というのは、自己の安全保障にかんする強迫観念、あるいはその具体的なあらわれである過剰防衛癖――。これこそが、ロシアの対外的膨張を少なくとも結果的には促進するルーツにもなっているからだ。これは、皮肉であり、逆説でもあろう。

この逆説をどのように説明すれば、よいだろうか。ひとつのやり方として、「緩衝地帯（バッファー・ゾーン）」という例を用いてみよう。この言葉がむずかしいと思われる読者は、城郭の外濠のようなものと考えていただきたい。天然国境に恵まれず、歴史上たびたび外部諸列強からの侵略を経験してきたロシアは、国境地帯に緩衝地帯というクッションをおく必要性を主張する。もっとも至極と、うっかりその要求を黙認すると、大変なことになる。つぎには、その緩衝地帯を既得権益として、それを守る新しい緩衝地帯の要求へとエスカレートしてくるケースが多いからである。第二次世界大戦後の東ヨーロッパが、そうだった。東・中欧諸国は、ソ連邦のバッファー・ゾーンとして、西側によって渋々、暗黙裡に認められることになった。ところが、いったんそれが認められると、今度は、元来、ソ連を守るためのものでしかなかった東・中欧を守ることそれ自体が至上命題とされた。そのために何でも許されることになった。たとえば一九五三年の東独、五六年のハンガリー、六八年のチェコスロバキアへのソ連軍を主力とするワルシャワ条約機構軍の介入は、その一例に過ぎなかった。

　つまり、今日の緩衝地帯は明日の本土となり、それを守るための新しい緩衝地帯が要求されるのである。東・中欧「衛星」圏が失われると、今度は、ウクライナ、ベラルーシ、モルドバなどの旧ソ連邦構成国、すなわち「独立国家共同体（ＣＩＳ）」の諸国が、ロシア連邦の新しい緩衝地帯とみなされるようになった。これら諸国は、ドミートリイ・メドベージェフ大統領（当時）によってロシアが「特別の権益をもつ地域である」と定義され、たとえばジョージアへのロシア軍の介入は、そのような理屈で正当化された。このダイナミズムは、さきにのべた官民によるイタチごっこのロシア領土の膨張と同様に（一一五ページ）、際限のない運動の契機を秘めている。

　このようにロシアが天然国境に恵まれないという地勢学的な特徴が、かえってロシアによってその領土拡張の口実として利用されている局面を見過ごしてはならない。極端にいえば、ロシアは放っておくと膨張するダイナミズムを秘めた存在だといえよう。「ロシア史は、植民の歴史だった」とのべたのは、さきにも引用したようにロシア史家のクリュチェフスキイだった。アメリカの学者ロバート・ウェッソンも同様に「ロシア史は、膨脹の歴史だった」と記している。ロシアは、反撃にあうまでは膨張する。ロシアは、クリミア戦争や日露戦争の敗北によって一時後退するかにみえたが、やがてまた膨張しはじめた。まるで、アメーバの増殖のように間隙があり、抵抗の少ない方向へと小休みなく膨張をつづける。それはいわば本能的衝動——。そのようにすら極論しうるだろう。

たしかに、ロシアの安全保障は、もとはと言えばロシア人特有の防衛本能にもとづいている。それがもし防衛だけに終わるのならば、それは第二次世界大戦後の日本の安全保障観とあまり変わらないことになるだろう。しかし、そこで終わらないところに、日本の専守防衛とは質的にまったく異なる点が存在する。つまり、防衛の名目のもとに、結果においてはれっきとした膨張に終わる。そのようなダイナミックな契機を内蔵し、是認しているところが、大きな違いなのである。

このダイナミズムに着目して、たとえ形容矛盾の表現と非難されようとも、ロシアの対外行動様式の基本を、私個人はあえてつぎのように名づけたい。防衛的膨張主義である、と。己の利益の防衛という名目から出発しておきながら、結果としては他人の利益を侵害することに躊躇しないからである。

国境は動くもの

右にのべたことから、ロシア人には、いわゆる「固有の領土」という観念や意識がきわめて稀薄ということになろう。もとより、ロシア政府は公式的にそういっているのではない。たとえば、国後、択捉、歯舞、色丹については、ロシア政府は「固有の領土」だと宣言している。しかし公式的にも本心からも、これらの島々が日本の「固有の領土」であると信じきっている日本人ほどには、そう固く信じていない模様である。言い換えれば、これらの諸島がロシアの「固有の領土」だから、日本には渡さない。必ずしもこのようには主張していない。このことは、わが国の今後の領土返還要求の進め方にも関係する大事なことなので、あえてもう少し説明することにしよう。

ロシア人の領土観もまた、ロシアの自然的、歴史的な背景を離れては語りえない。ロシア人が抱いている国境観は、日本人とはまさに正反対といってよい地理的環境と歴史的体験によって形づくられた。理想的な天然国境（海、大河、高い山脈など）に恵まれず、平坦な国土に生まれ落ちたロシア人は、度重なる外敵の侵入を受けた。また、天然国境がないことを口実として、みずからが逆に外部へと膨張しようと試みた。外敵からの防衛に失敗した場合、ロシアは己の領土を失った。だが、逆に成功した場合には、ほとんどの場合領土を拡張した。

このような境遇に生まれ育ったロシア人にとり、領土とはその帰属が固定された存在であるようには思いがたい。国境は変化し、揺れ動くのがつねの姿である――このように観念しがちである。つまり、本来「固有の」領土とか、不動不変の地図などというものはありえない。国土とは、隣接する国との力のせめぎ合いの結果として拡大もするし、縮小もする。それは、「伸縮自在な」（ジョージ・ケナン）性格のものである。

このような領土観は、ロシア独特というよりは、ヨーロッパでの一般的な通念――。このようにすらいいうるかもしれない。たとえばドイツの有名な地政学者カール・ハウスホーファーは、「国境とは、法的規範の決定の場であるよりも、むしろ戦いの場である」とのべた。

故桃井真氏（防衛研究所副所長）は、ロンドン大学で講義したときの経験をつぎのように記している。氏は、大学院の学生たちが、国際関係の授業には必ず全員、地図をもってくることに気づき、自身の授業にも北東アジアの地図を持参するよう命じた。以下は、氏と学生とのやりとり――。

学生「いつの時代のですか？」
桃井「現代のですよ」
学生「アジアはいいですな」
桃井「なぜ、いちいち時代を明示するのだ……現代国際関係論をやっているのに」

学生「先生、ヨーロッパでは、少なくとも第二次世界大戦までに二〇年平均で、国境線がどこか変わったんですよ。五〇〇年以上にわたって……」

国際的な舞台に百戦錬磨だった桃井氏も、さすがに一本取られたと思い、つづいてつぎのように記さざるをえなかった。「まったくその通りである。現に彼らのもっていた地図帳のヨーロッパ部分は、紀元前に三回、紀元後に一二回、違った地図となっている。二〇世紀に入っても、一九二三年、四二年、六一年にまったく違うヨーロッパの地図となっている。戦争のたびに国境が変わり、変え戻し、また変わり、合併を繰り返し、占領、追い出し、侵略の波をかぶったヨーロッパ人には、不動不変の地図など、およそ意識のなかに存在しないのだ」。

しかるに他方、日本人は、「戦前と戦後のいわば一回しか、領土の大きな変化を経験していない」。桃井氏はこうのべて、結論した。「この歴史的体験のギャップが国際関係の理解を妨げないようにするには、他国の歴史をよく読み、理解する必要があろう」。

戦争結果不動論

日本がロシアにたいして北方領土返還を要求する根拠は、北方領土が父祖伝来の日本の「固有の領土」であるとの主張にもとづいている。「固有の領土」とは、常識的には古い時代から一貫してその国の領土だったという意味である。国際法的な定義によると、「無主の土地を他の国家に先だって実効的に支配することによって成立するもの」。ところがロシア側は、まず、このような日本の領土要求が「根拠がなく、非合法な主張」と考えるのだ。そして国際法的にいっても、クリール諸島（千島列島のロシア側呼称）はロシア領に他ならないとすら主張する。これにたいして、日本側は「法理は、我にあり」と主張して、猛反駁する。そして、私が日本人だからではなく、国際法的な見地から公平にみるかぎり、日本側の理屈のほうがロシア側のそれにくらべてはるかに説得性が高いように思われる。

法律的な理屈では、とうていかなわないと思ったのか、ロシア側がついで強調するのは、法的根拠ではない別の論拠である。つまり、第二次世界大戦の終結前後のヤルタ協定、サンフランシスコ講和条約などのうちのどの個別的、具体的な協定や条約なのではない。ロシアは、むしろ総体としての第二次世界大戦、戦争をより一層重視しようとする。第二次世界大戦の結果として出来上がった国際秩序を、その後変更していたら、大変な結果になりかねない。国際社会の秩序は大混乱に陥るだろう。だから、第二次世界大戦によって決定された国境は神聖にして不可侵――。端的にいうと、これがロシア側の立場といえるだろう。

レオニード・ブレジネフ共産党書記長は、一九七七年、『朝日新聞』の秦正流専務によるインタビューに答えて、語った。「日本側が、第二次大戦の結果として展開した現実に真剣に対処すれば、［平和条約締結の］問題は解決できる」、と。プーチン現政権のセルゲイ・ラブロフ現外相も、同様に「第二次大戦の結果、クリール諸島の帰属はすでに決定済みで動かしがたい」とのべている（傍点、いずれも木村）。

このように、ロシア側が、いわば「戦争結果不動論」を説くことの背後には、〈領土は、戦争によって決められるもの〉——こうみなす基本的な前提がある、と推測しうるだろう。ソ連期に日本史研究の権威だったハイム・エイドゥス博士の著作を読むたびに、日本人は一同そろってがっくりさせられたものだ。たとえば、『ソ連と日本—第二次大戦後の外交関係—』と題する著書で、博士は日ソ間の領土係争問題について、わずかつぎの一行を記すのみだからだ。「ソビエト軍の勝利が、南樺太と千島列島を、わが国の人民に戻した」。これは、繰り返すようであるが、ソ連時代の日ソ専門家たちに共通する見解だった。しかも驚くべきことに、プーチン政権期の今日においてすら、このような考え方は基本的にまったく変わっていない様子なのである。

やや脇道にそれたかもしれないが、領土観にもみられるロシア人の〝力〟の信仰は、安全保障の話題へ戻るちょうどよいきっかけになる。

自力にもとづく安全保障

すでにのべたように、ロシア人が元来あれほどまでに希求した自由を結局一部放棄することに同意する理由のひとつは、自国をなんとしてでも外敵から守りたいという愛国心のなせるわざである。ロシア人の並はずれた愛国心については、さきに説明した（●●～●●ページ）。では、一体どうすれば自国を守れるか？ この点にかんして、ロシア人はユニークな考え方をおこなう。少なくとも戦後の日本人とは大いに異なった考え方をする。

ハンス・モーゲンソーという高名な国際政治学者によると、国の安全保障を維持するためには、大別してつぎの三つの方法がある。①自国の〝力〟そのものをつける。②他国と同盟を結ぶことによって、自国の〝力〟を増大させる。③平和と安全保障の国際的なシステムをつくる努力によって、危険発生の機会を減少させる。偉い学者もこんな平凡なことしかいわないのか――こう考える読者がいるかもしれないが、私も含め、誰一人としてもこれ以外の方法は思いつかないのである。

ともあれ、モーゲンソーの分類に従うならば、ロシアの安全保障努力は、②や③の方法を比較的軽視していることに気づかざるをえない。ひとつには、ロシア人の対外世界にたいする猜疑心に由来している。ロシア人においては、他国にたいする不信感が根強いので、同盟国や国際的組織の力をあまり評価しないのである。このような傾向は、孤独な独裁者で、いわゆる「資本主義」諸国による「包囲」の影におびえながら、「一国社会主義論」を提唱するにいたったスターリンに、とくに顕著だった。米国の対ソ外交の超ベテランで、スターリンとも丁々発止やり合ったことのあるアヴエル・ハリマン元駐ソ大使は、述懐している。「スターリンは、ソ連の真の安全を決して集団安全保障方式にゆだねるわけにはいかないと考えた。なぜならば、集団的安全保障の考え方というのは、とどのつまり、他国の善意を前提としているからだ」。その後のソ連／ロシアは、実際、ゴルバチョフ、エリツィン期になると、疑似同盟国だった東・中欧諸国のほとんど全部を失ってしまった。

他国と同盟関係を結ぶ代わりに、ロシアが重視するのは、あくまでも①の「みずからの」力にもとづく安全保障である。このような考え方をするロシアは、戦後日本の安全保障観とは対照的だといよう。戦後日本は、「平和を愛する諸国民の公正と信義に信頼して、われらの安全と生存を保持しようと決意し」（日本国憲法、前文）、国連（すなわち③）や日米安保（すなわち②）に依存する一方で、その分だけ自助努力（すなわち①）をさほど重視しない傾向を顕著にしめしているからである。

ロシアの〝力〟観

〝力〟といっても、それはもとより軍事力とはかぎらない。経済力、政治・外交力、危機管理能力、団結・統率力、士気、規律――これらはすべて〝力〟である。現に、ロシアが「〝力〟の相関関係が最近とみにわが国にとり、きわめて有利になってきた」などというとき、その〝力〟のなかには右に列挙したような〝力〟も含められている。とはいうものの、ロシア指導者が〝力〟というとき、主として考えているのは物理的な強制力、ふつうは伝家の宝刀として考えられる「究極の手段（ウルチィマ・ラティオ）」としての軍事力を指している。

とくにこの傾向は、ロシアのつぎのような現実によって、さらに拍車が駆けられる。つまり、純軍事力なる「ハード・パワー」以外に、ロシアがこれといって他の国や国民にアピールする魅力や惹きつける有効な力、すなわち「ソフト・パワー」を持ち合わせていない事情である（ジョセフ・ナイ、ハーバード大学教授）。つまり、いまや慢性的とすらなった経済の不振、とくに生産性の低下、イノベーション（技術刷新）における立ち遅れ……等々のために、経済的モデルとしてのロシア型「国家資本主義」の魅力はすっかり薄れてしまった。また、とくに青年層の「ベスト・アンド・ブライテスト」たちの海外移住熱の高まり（現在、一九一七年のロシア革命後、二度目のブームを迎えている）やノーベル賞受賞者の減少（日本人二五名にたいして、ロシア人二〇名）などによって、ロシアの政治、科学、文化が以前のような魅力、すなわち「ソフト・パワー」をもっていないことは、全世界に知れわたっている。となると、どうなるか？　単純な算術計算によって、残るは軍事力だけという答えになってしまうだろう。

ところが、ロシアの指導者が過大なまでに軍事力増強に熱意をしめす理由が、もうひとつある。それは、軍事力が脅しの機能をもつことである。脅しというのは、武力を用いて相手方に一定の行為を強要する作用を指す。

核兵器が異常に発達した今日、戦争に訴えることのリスクはきわめて大きくなった。そのような事情も作用して、軍事力は直接的な使用のためというよりも、心理的、政治的な脅しの手段として用いられるケースが多くなってきた。軍事力が果たすこのような役割の変化を、他のどの国よりも、敏速にキャッチして、その有効的な利用に熱心となっているのが、ロシア――。こういって、決して過言でなかろう。孫子の兵法にいわく、「戦わずして人の兵を屈するは、善の善なる者なり」。ロシアは、この孫子の兵法を実践しようと試みている。巨大な軍事力を誇示することによって、実際には戦わずして、しかも戦ったも同然の効果をあげようとする戦術である。ウィンストン・チャーチル元英宰相はロシアによるこの戦術をよく見抜いており、喝破した。「私とて、ソビエト・ロシアが戦争を欲しているとは信じない。彼らが欲しいのは、戦争の果実なのである」。

デモンストレーション効果

ロシア指導部自身、軍事力に脅しの機能をあたえていることを隠そうとしていない。ソ連時代のゴルシコフ元帥の発言が、その典型例といえよう。セルゲイ・ゴルシコフはソ連海軍の総司令官を長年にわたってつとめ、「ソビエト海軍の父」と呼ばれた人物だった。同元帥は、いわゆる「砲艦外交」の威力について、主著『戦時と平時の海軍』のなかでつぎのようにのべた。ソビエト海軍は、「平時には、国家の政治の道具のひとつとして重要な役割りを果たす」。元帥はつづける。「わが海軍は、平時には、友好国と敵対国の人民に、国家の技術力、経済力を具現する軍艦の軍事技術的力と完成度を顕示的にデモンストレーションすることができる。また、この力を自国の国益の防衛あるいは社会主義国の安全の保障のために行使する用意があることをデモンストレーションすることができる」。

ロシア指導部は、なにも海軍にばかり、デモンストレーション効果の発揮を期待しているわけではない。メーデー、対独戦勝祝賀記念日、一〇月革命のパレード……等々あらゆる機会をとらえて、内外に己の軍事力を誇示する努力を惜しまない。たとえばロシアが一九五七年にはじめて米国に先がけて人類最初のICBM（大陸間弾道弾）、つづいてスプートニク（人工衛星）を打ち上げることに成功したとき、ロシアは、この〝ミサイル・ギャップ〟を、外交上の強力な威嚇の道具として最大限に利用しようとした。同様の脅しを目的とするロシアによる軍事力のデモンストレーションの例としては、つぎのようなものがあげられる。オケアン大演習、北方領土軍事基地の建設、キエフ級空母「ミンスク」の極東回航、バックファイアー爆撃機、SS―20中距離弾道弾の極東配備、最新鋭戦車T―14〝アルマータ〟……等々。これらの背後には、軍事力の誇示によって少なくとも部分的に、日本人を含む世界の諸国民が恫喝されることが計算され、期待されているといえるだろう。

危険なウィーク・ポイント

ところが、このような軍事力の誇示戦術には、深刻なウィーク・ポイントが存在することも忘れてはならない。第一は、相手側が当方の威力を認めてはじめて、その効果が生ずること。言い換えるならば、もし相手側がなんらかの理由で威嚇のメッセージを無視ないし軽視する場合、ロシア側は投入したコストに釣り合う成果をあげえないことになる。つまりそれらがたんなる力のデモンストレーションに過ぎず、実際に抜刀するものではないことを、相手側が見破るケースである。その場合、ロシア側には三つの道が残される。威嚇を諦める。威嚇を増大してつづける。実際の武力行使に出る。ふつうは、前の二つの方法を選ぶ。

だが、ここで、第二の問題が生ずる。実際に使用されないことが判明した軍事力は、たんなる脅しとして馬鹿にされ、軽蔑される。そこで、時としては第三の道を選び、己の刀が赤錆の鈍刀や「竹光」でなく、本物の「正宗」であることを証明する挙に出る。とはいっても、核を持つ大国相手ではリスクのほうが大きく、屈辱に耐えているほうがまだしもマシである。また、国政担当者がしっかりしており、国民も団結している国を相手にする場合は、乗ずる隙も見出しえない。そういうわけで、発展途上国など抵抗力が弱いと予想され、ロシアの軍事力によるひと突きをあたえれば、そのことによって国政が大いに左右される国々が、現実の武力行使の候補対象国として選ばれやすい。

当初は自国の防衛の目的で出発した軍事力が、つぎには思わぬ誇示の効果に有頂天になり、やがてその効き目がなくなると、実際に使ってみせることになる。このようなエスカレーションの危険性は故久保卓也氏（元防衛事務次官）によって「軍事力のひとり歩き」と名づけられた。そのような契機を内包している点においても、過大なる軍事力はそれ自体が危険な存在とみなすべきだろう。

第6章 交渉

交渉は闘争の手段

死活にかかわる交渉の重要性

「交渉」と「外交」との二つは、切っても切れない関係にある。交渉と外交は、卵とオムレツの関係のようなもの。こうのべた米国の外交官もいるくらいである。実際、われわれも「外交交渉」とか「外交・交渉」とか、二つの言葉をまるで一語のように使うことが多い。

ふつうは、これで差し支えなかろう。学術書をめざさない本書においても、これら二つの概念を厳密に区別する必要はない。

そうであるにもかかわらず、私は独立の本章を設けることにした。その理由は、ひとえに日本人にとって「交渉」がもつ重要性にもとづく。ロシアとのあいだばかりでなく、中国、韓国、北朝鮮、そして米国とのあいだにおいてすら「交渉」は重要かつ不可欠なのである。改めていうまでもなく、国家間に争いはつきもので、不可避とさえいわねばならない。しかも、戦後の日本国憲法は、「国際紛争を解決する手段として」の「武力の行使」を放棄している。となると、日本国民は紛争の平和的な解決法としての「交渉」に他国民以上の熱意を傾ける必要が生まれよう。このことを、ロシアとの関係を一例にとって改めて強調してみると——。

まず、わが国は、ロシアとのあいだで一九五六年に「日ソ共同宣言」を結び、一応、国交を回復した。ところが、領土問題が解決されなかったために、平和条約が未だに締結されていない。その意味では、日ロ両国の関係は完全に正常化されているとは言い難い。とりわけ一九七八年に日中平和条約が締結されたあと、わが国にとって外交上の最大の懸案は平和条約締結のための対ロ「交渉」になった。ところが、平和条約交渉には領土問題が絡んでいるために、条約締結は難問中の難問になり、事実、戦後七二年が経過したのに未だその目途さえたっていない。日ロ間で平和条約が未締結であるかぎり、日本の戦後も終わらない——。こうのべてさえ、過言でなかろう。実際、対ロ「交渉」をいかにおこなうか。日本の国益に死活の差が出てくる大問題である。

「交渉」を進める以上、うまく進める必要がある。そして、対ロ「交渉」をうまく進めるためには、なによりも相手方たるロシアの「交渉」についての基本的な考え方や行動様式を研究、分析して、その特徴を頭に叩き込んでおくことが必要不可欠となろう。

日本の対ロ交渉観

まず私が強調したいのは、日本側の交渉者がややもすると欧米諸国との交渉に臨むのと大差のない態度や行動でロシア相手の交渉に臨みがちなことである。事実、これまでの対ロ交渉では、日本側の最高担当者たちからつぎのような言葉が、しばしば聞かれた。「誠意さえ尽くせば、ロシアといえども、分かってくれるはず」、「われも人間、ロシア人とても人間、心が通じ合わないはずはない」、「小手先を弄せず、体あたりでぶつかってみる」。あるいは「山より大きなクマは出まい」、「もう覚悟を決めて、無手勝流の柔道の極意でゆくよ」……等々。

こういう発言は、文学者などから出るうちはまだよい。つまり、故安岡章太郎氏のような文学者が『ソビエト感情旅行』のなかで、ソ連でも「われわれと似たりよったりの人間が、似たりよったりの生活をしているにきまっている」と、自己の直観や感情を無邪気に披露されるのは、ほとんど人畜無害で構わない。しかし、右のような発言を、安倍晋三、河野太郎といった日本の対ロ外交の主要担当者たちがのべるならば、もうこれはただごとでは済まされなくなってくる。

というのも、欧米諸国の対ロ・アプローチは、まさに正反対の立場から出発しているからだ。欧米のロシア通や対ロ交渉担当者は、こぞっていう。ロシア人が自分たち西欧人といかに異なった人種であるか——このことを、率直に認識することこそが、ロシア研究や対ロ交渉の出発点にならなければならない、と。たとえばイギリス人のライト・ミラーは著書『国民としてのロシア人』の序文で「ロシア人を、われわれとは違った国民」（傍点、原文まま）とみなす立場を、自分の基本的アプローチとすると宣言して、それ以後の分析や叙述をはじめている。つまり、日本人にくらべ人種、言語、文化的な諸点でロシア人にずっと近いはずのヨーロッパ人たちが、ロシア人との違いをまずしっかり出発点にすえて、ロシア人を眺め、ロシア人に対処しようとしているのだ。

欧米側では、ロシア人相手の交渉が、「言葉のふつうの意味での交渉」や「伝統的な意味での交渉」とは異なる——。こう説く者すら、決して少数ではない。ロシアの交渉者を、西側のそれとまったく同種の交渉者とみなす。これは、誤りとさえみなされている。このことをしっかり押さえておかないかぎり、ロシア人相手の交渉は骨折り損のくたびれ儲けならまだしも善しとして、往々にして「ひとり相撲」に終わる危険を伴う。対ロ交渉の実務を担当した欧米諸国のベテランたちは、口をそろえてこのようにアドバイスする。

もとより、ロシア相手の交渉といえども、なんらかの合意点をみつけて妥結を導く必要はあろう。しかし、そのための合意点は、まず何よりも双方の相異点を明解に理解し、その前提に立ったうえではじめて見出すことができる。故ジョン・F・ケネディ大統領がアメリカン・ユニバーシティでの演説中にのべたつぎの言葉は、今日なお対ロ交渉にそっくりそのまま当てはまる至言といえよう。「われわれ［米ソ］のあいだにある差異に、目を閉じないようにしよう。しかも、われわれの共通の利益とそれらの相違が解決される方法にも注意を向けよう」。

右にのべたことを具体的にまとめるとするならば、対ロ交渉ではつぎのことが肝要になる。第一。いったんチェス盤を逆転して、ロシア側の立場に身をおいてロシアの観点から物事や状況を眺めてみること。第二。ロシア人の交渉の態度を注意深く観察して、そこに表われるロシア人の性癖（?）、特徴、傾向をつかむこと。――以上二つに一貫していることは、「彼を知りて己を知れば、百戦して殆うからず」の姿勢である。ことに秘密主義をモットーとするロシア相手の交渉においてほど、この孫子の兵法が教えるレッスンの重要性を噛みしめるべき分野は他に少ないとさえいえよう。

交渉は闘争

われわれがまずもって頭に叩き込むべきは、ロシア式交渉観の特徴である。つまり、ロシア人が交渉というものを一体どのようにとらえているのか？　われわれは、このことをしっかり押さえておくことが必要である。私個人は、以下にのべる三つの点が、ロシア人との交渉にかんする基本的かつ最重要な考え方だとみなす。そのいずれも、私が本書でこれまでのべてきたロシア人の国民的性格に由来するところが多い。

　第一の点は、ロシア人が、交渉を闘争の一形態とみなしていること。これは、人生を苛酷な自然や外敵との絶えざる闘いととらえるロシア式の世界観と関係している。ともあれ、ロシア人は交渉を一種の闘争とみる。これは、とりわけ日本人が是非とも記憶にとどめるべき重要ポイントに他ならない。というのも、それは日本人一般の人生観や交渉観に真っ向から対立する見方だからである。

　日本人の多くは、ややもすると平和や調和こそが人生のノーマルな姿とみなしがちである。葛藤や矛盾は、人生のむしろ例外的な現象である。そのような人生のハプニング、たとえば台風、地震、戦争などが発生するならば、もちろんその解決に全力を尽くしはする。とはいえ、それらはふだんそれほど頭を悩ますことなく、むしろ忘れておきたい事柄である。「人生は闘いの連続」。考えるだけでも、これは実にシンドイことではないか。たとえ逃避や自己欺瞞といわれようとも、心を平静にもち、みんな仲よく暮らす。このほうが、ずっとベターな人生の送り方なのではないか。四季に恵まれ、温暖な気候風土で農耕に従事し、仏教徒でもある日本人の大半は、このように考える。

　たとえば、日本人のあいだでもっとも人気のある文豪の作品にも、このような考え方は表われている。『草枕』のあまりにも有名な書き出し、「智に働けば角が立つ。……意地を通せば窮屈だ。とかくに人の世は住みにくい」につづけて、夏目漱石は記す。「人の世を作ったものは神でもなければ鬼でもない。やはり向う三軒両隣りにちらちらするただの人である。ただの人が作った人の世が住みにくいからとて、越す国はあるまい。あれば人でなしの国へ行くばかりだ」。故エドウィン・ライシャワー教授も著書『ザ・ジャパニーズ』で、日本人にとってもっとも尊重される美徳は「調和」、「協調性」、「思いやり」であり、その反対は「対決」、つまり「どちらか一方に軍配をあげ、黒白をはっきりさせることである」と書いている。

交渉は戦争

うっかり、日本人論のほうが詳しくなりかけた。本論のロシア式交渉観に話をもどす。私は、ロシア人が交渉を「闘争」とみなしているとのべた。これは、まだ大人しい表現であるかもしれない。というのは、ロシア人は外交や交渉を平時での「戦争」とすらみなしている。このように説くアメリカの専門家たちもいるくらいだからである。

彼らによると、たとえば、つぎのようなマキシム・リトビノフの発言にそのような考え方が表われている。リトビノフは、一九三〇年代に一〇年近くスターリン下で外相をつとめたソ連の政治家。彼は、自分の伝記を書いてくれることになったコーネフに向かってのべた。「ソ連外交というのは、戦時においてソビエト軍が果たすところの仕事を、平時において果たすものである」。リトビノフは言葉をついで、自分のいわんとするところをさらに敷衍(ふえん)した。「すなわち、〝戦争とは、他の手段による政治の継続である〟と説くドイツの軍事戦略家クラウゼヴィッツの有名な言葉があるが、私のいわんとするところは、ちょうどこのクラゼヴィッツの言葉を逆さまにしたものである」、と。

たしかに、リトビノフの表現はおだやかではない。しかし、ソ連交渉観の本質を極端な形で明快に表わしている。つまり、リトビノフ流の考えは、端的にいうならば、外交、交渉を、戦争――これらを、いわば同一線の延長上でとらえる考え方とみなしえよう。外交も、交渉も、戦争も、すべて広い意味で人間の人間にたいする闘争の一種である。一方は軍事力を用い、他は軍事力を用いない差があるだけで、戦争も交渉もともに苛烈な闘いに他ならない。軍事力を用いる戦争ができないので、やむなく交渉する。こういえなくもなかろう。イギリスのハロルド・ニコルソンが書いていることは、このことを裏づける。ウィーン会議の停滞――往年の名画『会議は踊る』を想起されたい――ぶりにすっかり業を煮やしたロシアの一将軍は、思わずつい本音（？）を洩らしたという。「われわれの側にもし六〇万の武装した部下でもいるのならば、交渉などに頭を痛める必要はないのだが」。

右のような考え方に立つロシア式交渉観を、アメリカの専門家たちは「交渉による闘争」、あるいは「交渉による戦争」と名づける。呼び方はどうでもよい。要するに、それは西側の〝交渉〟観とはかなり対照的なそれなのである。

というのも、「交渉は勝ち敗けを決める戦いではない」――これが、欧米諸国では少なくとも表向きの考え方だからである、たとえば故ケネディ大統領は、「交渉とは勝利ないし敗北を導く闘争なのではない」と語り、あのキューバ危機の最中ですらフルシチョフにたいして出口を完全に閉ざし、ソ連側の完敗を導くことのないように腐心した――その努力は、よく知られている。すなわち、ある助言者が、六〇日以内にすべてのソ連軍をキューバから撤退するようフルシチョフに公的に要求することを提案したとき、ケネディは同提案を即座にしりぞけてのべた。「この危機の処理から学んだことは、決して最後通牒を突きつけてはならないということ。恥をかく以外に逃げ道がないような窮地に相手を追い込んではならないということだった」。

交渉は武器

ロシア式交渉観の第二の点は、右にのべた第一の特色のつづきといってよい。つまり、交渉を己の目標を達成するための手段ないし武器とみなす考え方である。

もとより、欧米諸国や日本の考え方も、基本的にはそうだろう。これらの国々でも、交渉とは自国のナショナル・インタレスト（国益）や外交目標を達成するための主要手段とみなされている。とはいいながら、ロシアのほうが、つぎのような意味で交渉の手段的性格をより重視していると言わねばならないだろう。すなわち欧米諸国も、交渉を手段と考える。とはいえ、元来、両立しにくい目標をそれぞれもっている国々が交渉に入り、最終的には互いに受け入れ可能な協定に到達する。——このようなことのためには、交渉過程で当初の目的が少なくとも部分的に修正されるのは当然であり、かつやむをえないことである、と。

ところが、ロシア人は違った考え方をする。交渉当事者間の目的は、本来互いに排他的な性質を有する。したがって、交渉中に目標の修正や変化など決して起こりえないし、また起こるべきでない。交渉という手段的なものによって、本来の目標が影響を受ける——これは、まさに本末転倒ではないか。もちろん、妥結の要請にもとづき、一時的な後退ということはありえよう。だが、それは本心からのものではあってはならない。現実の履行過程など後の段階になって、是非とも撤回したり、骨抜きにしたりする試みがさらにつづけなければならない。ロシア流交渉観にあっては、このように目的と手段とが明快に分けて観念されている。つまり、交渉の前後においてロシア側の基本的なポジションは変更をこうむってはならない。

無原則な日本と対照的

右のことは、とりわけ日本人が頭に入れておくべき事柄のように思われる。というのも、日本人はこのようなロシアの考え方とは正反対の考え方をしがちだからだ。

つまり、日本人は——とくに戦後期での——一定の確固たる他に絶対譲りえない目標、原則、イデオロギーというものを持ち合わせないようである。これは、オーストラリア人で長らく上智大学で教鞭をとったグレゴリー・クラークが、著書『日本人―ユニークさの源泉―』のなかで、繰り返し指摘しているポイントである。クラークは、アメリカの週刊誌『タイム』のインタビューに答えた中根千枝教授の言葉を引用している。『タテ社会の人間関係』という著書で優れた日本人論を展開し、女性としては初めて東大社研の所長となった文化人類学者、中根教授は、日本人が、ロシア人のみならず西洋人とも違う点を一語でのべた。すなわち、「私たち日本人には、原則がないのです」、と。

原則やイデオロギーの代わりに、日本人の行動様式を決定するのは一定の時点で一定の精神的環境がつくり出す雰囲気やムードだといってよい。これは、故山本七平氏が傑作『「空気」の研究』のなかで、もっとも強調しているポイントである。山本氏は、戦前、戦後の日本を通じ猛威をふるっている「空気の支配」について、つぎのように記す。「『空気』とは、まことに大きな絶対権をもった妖怪である。一種の『超能力』かも知れない。（中略）統計も資料も分析も、またそれに類する科学的手段や論理的論証も、一切は無駄であって、そういうものをいかに精緻に組みたてておいても、いざというときは、それらが一切消しとんで、すべてが『空気』に決定されることになるかも知れぬ」。

これら二つのこと、すなわち、日本人にはこれだけは絶対に譲れないという原理・原則が欠如していること。その代わりに、雰囲気、ムード、空気によって支配されやすいこと。――この二つのことのために、日本人は交渉において状況に流されて、自己のポジションを無差別、無原則に譲りがちになる。『日本の国際交渉スタイル』（邦訳名『根まわし　かきまわし　あとまわし』）のなかで、マイケル・ブレーカー博士（当時、コロンビア大学東アジア研究所）は指摘する。外交・交渉における日本の目標は、いつも条件付きで、そのつど状況に対応しがちである、と。ブレーカーによれば、日本では、外交や交渉というものが、「大勢」、「局面」、「形勢」、「情勢」、「時局」、「事態」、「大局」にたいする避けえない処置の形でつくられ、正当化される傾向が強い。つまり、外交や交渉は、当座だけの対応であるケースが多く、日本の根元的な要請に見合う環境を積極的につくり上げていく営為としては観念されていない。

〝力〟の重視傾向

ロシア式交渉観にみられる第三の点は、交渉を最終的に決定する要因として、なによりも〝力〟を重視する傾向といえるだろう。ソ連時代の外交教科書は、このことを明快に記していた。たとえばヴァレリアン・ゾーリン著『外交勤務の基礎』というソビエト外交官の必読書は、記した。「ソビエト外交活動の理論的基礎は、各々の国、各々の集団、各々の大陸の発展における民族的、歴史的特殊性を考慮に入れた国内的および国際的、社会的な〝力〟の相関関係である」（傍点、木村）、と。

欧米諸国におけるロシア外交・交渉の観察者たちも、ロシアの〝力〟重視傾向を異口同音に指摘する。たとえばイギリスの元駐ソ大使ウィリアム・ヘイターは、「ロシア人は、スターリンが外交政策の基礎と呼んでいたもの、すなわち〝力〟の計算に依拠する」と書きのこした。大著『ソビエトの外交・交渉行動様式』の執筆者、ジョセフ・ウェラン博士（米国会図書館）も、「ソビエト外交・交渉行動で、〝力〟はアルファでありオメガである」と断言した。中ソ両国の交渉行動を詳しく比較研究した米国のジェラルド・スタイベル教授の著書『共産主義者たちとの交渉方法』（一九七二年）の最終結論は、きわめて単純明快だった。すなわち、ロシア人たちと交渉するさいには、「交渉が、国家の〝力〟の函数である」ことを決して忘れてはならない、と。

雄弁や理屈は通ぜず

ロシア人は外交・交渉で〝力〟を最重要視する。このことを裏返してのべると、つぎのことを意味する。つまり、ふつう交渉で重要な役割を果たすと考えられている「雄弁」、「理屈」、「善意」、「倫理」は、ロシアの交渉観ではさして重要な役割を演じない。このことは、西側の対ロシア研究家や対ロ外交のベテランたちが口を酸っぱくしてのべていることである。

ヘイターは、「ロシア人は、雄弁によって説得されない」と断言した。また、アメリカの元政策形成スタッフのチャールズ・バーン・マーシャルも、対ロ交渉においてディベート（討論）の演ずる役割を西側交渉者が決して過大評価しないように戒めた。彼らがそう忠告する根底には、ロシア交渉者が論争の勝ち負けなど重視しないという彼の体験に裏づけられた持論が前提にされている。マーシャルはのべる。「最近、交渉についていわれがちなことは、それがインター・カレッジの討論のようなものだという〔間違った〕見方だ。すなわち歴史的に論理的に議論を展開し、うまく発言したほうに良い点をつける。これは、まるでテーブルをはさんで討議をおこない、ある時点でフルシチョフがダレスに向かい『もうたくさんだ、まいった。それには答えられない。で、君の要求は何だね』と聞くことを期待するようなものだろう」。

友情や善意も通ぜず

つぎにのべねばならないのは、対ロ外交においては、「友情」とか「善意」が大した役割を演じないと覚悟すべきこと。というのは、個人的なレベルでの人間関係とは対照的に、ロシア人はことが対外交渉となると、そのようなものを一切顧慮しない傾向をしめすからだ。

これは、欧米諸国の交渉者たちが何度となく裏切られ、煮え湯をのまされつづけた結果、やっと学ぶにいたった貴重な教訓といえよう。

たとえば、ヒトラー・ドイツと闘うためにやむなく成立させた第二次世界大戦中のソ連と米・英・仏等の連合について『奇妙なる連合』と題する本を書いたジョン・ディーンは、述懐している。やや長いが、そのまま引用する。

「戦争の初期、アメリカは、ソ連の要求をすべて満たそうとした。［というのも、］われわれの援助や寛大さが、ソビエト当局側に友好や感謝の気分をつくり出し、それがその後の交渉の折にソビエト当局に好ましい影響をあたえ、アメリカに有利に作用する――こう期待したからだった。ところが、正反対だった。アメリカの寛大さは弱さのしるしと受けとられ、ソ連指導者たちは要求をますます高めてきた。彼らは、アメリカの援助の必要がなくなった後も、そのような態度をずっと取りつづけた。われわれは、必要のない宥和政策をつづけた。

　ところが逆にアメリカが強い立場をしめすと、どうだろう。米ソ関係は決まって良くなったのだ。したがって私は確信をもってつぎのように結論しうる。われわれが、ソ連の要求に直ちに応ずるよりも、タフな駆け引きの態度をしめすほうが、ソビエト官僚ははるかに満足し、友好的となり、猜疑心を弱めることに役立つ、と」

ジョージ・ケナンも、己の『回想録』で同様のことをつぎのように記している。

「アメリカ人が譲歩したり友情を用いたりして、ロシア人を説得しようとするとき、かえってロシア人が内心、どれだけ当惑し、猜疑心を深めるものなのか。このことを知っている者は、われわれのなかでもきわめて少ない。そのような善意はロシア人のすべての計算をひっくり返し、バランスを失わさせてしまうからだ。［というのも、そうすると］ロシア側の現場交渉担当者たちは、それまでアメリカ側の力を誤って過大評価していたということになろう。すなわち、ソビエト政府にたいする彼らの義務遂行上彼らは実に不注意だったことになりかねない。アメリカ側からはもっと要求できる。こう報告しておくべきだったことになろう。

このようにして、往々にしてわれわれが求めたものとちょうど正反対の結果が生まれるのだ。つまり、われわれ側は好意から譲歩をおこなったにもかかわらず、そのことによってソビエト交渉者たちをかえって困らせるという結果になるのである」

このようにのべて、ケナンは、対ソ交渉の鉄則として「当方が善意をしめすという間抜けなジェスチャーなどゆめゆめおこなってはならない」と忠告した。

ロシア人は、外部の世界に劣等感を抱いている。外国の列強諸国は、隙さえあればじぶんたちに襲いかかろうとする。頭からこう信じ込んでいる。彼らは外部の世界を疑い、恐れおののいているのだ。これは、何度も繰り返すように、ロシアの地理と歴史から生まれたロシア人の特性だといえよう。ともあれ、彼らは善意によって差しのべられる友好の手というものを信じようとしない。そこには、何か巧妙な落とし穴のようなものが隠されているのではないかと、疑う。この世に純粋な好意など存在するはずはなく、あるのは闘いのみだ。頭からこう信じ込んでいる。だから、闘いの姿勢をしめすと、彼らはかえって安心することにもなる。

第二次世界大戦後、対ソ交渉に携わった故フィリップ・モーズリー教授（コロンビア大学、国際政治専攻）も書きのこしている。「［こちらが］小さな譲歩をおこなうと、ソ連の交渉者たちは、己のほうの立場が相手側より強いしるしだと考える。彼は、［相手側の］いわゆる〝善意〟というものを信じないからである。彼らは、〝資本主義による包囲〟という悪意を前提にして交渉するべきとのトレーニングを受けている」。

道徳や倫理にも縛られず

「善意」や「友情」を信じないロシア人は、当然、「道徳」や「倫理」にも縛られない。こういってよいだろう。元駐ソ米国大使のひとりで、ヤルタ会談でスターリンとルーズベルトとのあいだの通訳もつとめたチャールス・ボーレンは、一言でスターリンの本質を見抜いた発言をしている。すなわち、「スターリンは、非道徳的ではなかった。彼はたんに無道徳的だっただけだった」、と。

以上、三点にわたって説明してきたロシア式交渉観の特色をもっとも要領よくまとめたものとして、ローレンス・スタインハートの書簡を引用することにしよう。スタインハートは、駐モスクワ米国大使だったときに己の上司だったコーデル・ハル国務長官宛てに以下のような報告書を送った。

「ソビエト外交に従事している個々のソ連官僚たちの心理を、永年にわたり観察しました結果、私が得ました結論は、つぎの通りであります。

——彼らは、慣例となっている礼譲に応えようとせず、また応えることができないこと。

——彼らとのあいだに、〝国際的な善意〟をつくり出すことは、不可能であること。

——彼らは、倫理や道徳的考慮による影響をうけないこと。

——彼らは、個人的な人間関係によって、動かされないこと。

——彼らの心理が認めるのは、確固とした態度、権力、〝力〟であること。

［結論として、］私の意見は、以下であります。ソ連の官僚たちと交渉するにあたり、右のことを前提にし、そして右のことのみを前提しなければならない」

ロシア式交渉法

ロシア式交渉観のつぎに、私はロシア人の実際の交渉行動にみられる特色について筆を進めたい。もちろん、それは、ここまでのべたロシア人の交渉にかんする基本的な考え方と密接に結びついており、主としてそこから導かれてくるものである。その意味では、ロシア人の交渉観と交渉行動様式の分け方は、便宜的なものに過ぎないといえる。ともあれ、ロシア人が交渉中にしめす行動の特徴を二、三紹介することにしよう。

ロシア人は、交渉を闘争の一形態とみなす。したがって、そのような交渉においてまずもってものをいうのは、〝力〟である。このことについては、すでにのべた。ここでのべたいのは、ロシア人が交渉にさいして第一におこなうことが相手側の〝力〟の評価であること。

自己の国力一般、あるいは自己の交渉ポジションとくらべて、果たして相手側のそれは一層強いのか、弱いのか。このことをまず見定めようとする。

まず電撃作戦、ついで牛歩戦術

自国のほうが相手側にくらべて強い場合、ロシアは直ちに勇猛果敢な攻勢に出る。一方的な先制攻撃をかけて、己に有利な既成事実をつくろうとする。その既成事実が、相手側にそのまま受け入れられ認められるならば、それに越したことはない。思わぬ儲けもの。

しかし相手側とて、ふつうは頑強に抵抗する。すると、相手側の要請にしぶしぶ応じる形ではじめてロシア人は交渉には応ずる。この段階からのロシアの行動は実にのらりくらりと、牛の歩みにも似たイライラさせる類いのものになる。のちにのべるところの「引き延ばし」、「焦(じ)らし」戦術をとることになる。当初の電撃作戦とは対照的な消極的、受動的な行動へと変わる。そして次第次第に、当初ふっかけた途方もない要求や既成事実からしぶしぶ退却しはじめる。相手側が交渉決裂を覚悟し、断固たる姿勢をしめす最終の土壇場となってはじめて、ロシアは譲歩の気配をしめす。以上を、第一パターンと名づけよう。

ロシアが己の力や立場とくらべてより強力な相手と交渉せねばならない場合には、一体どうするか？　ロシアは、決してイニシアティブをみずからとろうとしない。ただひたすら相手側の提案に反応するばかりの態度をしめす。これが、第二パターンである。このようなロシアのやり方をみると、ロシアとは、なんて臆病で、頑迷固陋な体質の国かと思ってしまう。しかし、実は、それは錯覚である。そのような消極性や保守性は、ロシア人の行動の「すべて」を表わしているとはいえない。その「一部分」にしか過ぎない。

アメリカの学者たちには往々にして、ロシアの交渉行動様式を私が右に説明したような電撃的な行為、すなわち第一パターンとして必ずしもとらえないわけがある。それは端的にいうと、米国が大国だからである。ロシアは、己にくらべて大国の米国にたいしては、他国とはまったく異なった行動様式をとる。すなわち、みずからは軽率に動かぬほうが得策だと考えて、積極的な行動に打って出ようとしない。そのようにかぎられたロシアの姿を見て、米国の学者や政治家たちは「ロシアは、存外、慎重でかつ用心深い国だよ」とのたまいがちなのである。

しかし、幸いにも大国に生まれついた米国の専門家や政治家たちの体験や見聞にもとづく観察が、ロシア式行動様式に普遍的に当てはまると考えるのは、禁物である。というのも、機が自己に有利とみるや、ロシア人は実に勇猛果敢な行動に出ることを一向に躊躇しないからだ。米国のような超大国でない国の住民は、とくにロシアが第一パターンを採ることを忘れてはならない。

以上、大ざっぱに二つに分けられるロシア式行動様式をひとつにまとめることもできる。つまり、ロシアは、「状況主義的」、あるいは「機会主義的（オポチュニスティック）」な行動をとる国である、と。ロシアは、状況や機会に応じ、攻勢、守勢、幾通りの行動をも便利に使い分けるのである、と。あるいは、第一のパターンをとってからの第二パターンに移る。こう言い換えてもよいかもしれない。

先制攻撃を撃退する対処法

右のような行動をとるロシアにたいして、では、一体どう対処すればよいのか？　対応策について、一言のべておこう。とくにわが国は、ロシアにくらべポジションが弱く、受動的とみられがちである。だとすると、日本人は、ロシア側からの先制攻撃によってはじまる第一パターンで迫られるケースが多いのではなかろうか。その意味で、この第一パターンのロシアの行動様式を撃退する術を習熟する必要があろう。

そのような先制攻撃にたいするもっとも有効な対抗手段は、いうまでもなく事前の十分な予防的措置である。だが、これは言うは易く、おこなうに難い。では次善の策は、何か？

そのような先制攻撃によってつくられた状態を、既成事実として決して認めないこと。屈伏のサインを出さないこと――。この一言に、尽きる。断固たる反撃と抵抗に出あってはじめて、ロシア側は己の強硬姿勢を改め、交渉をはじめる気になるだろう。

ロシア側による最初の提案は、一見するところ、いかなる譲歩も受けつけない強固なもののように映るかもしれない。まるで堅牢無比の最終提案であるかのようにさえ見えるだろう。

しかし、そのような外見に騙されてはならない。たいていの場合、それはただ高飛車に出て吹っかけているだけに過ぎないからである。率直にいうと、ロシア側は相手側の意志をテストしているに過ぎないのだ。相手側がどのくらい怒るかという反応を測り、相手側の忍容の度合を試している。それらのことを知って、今後どの時点で一体どのくらい譲歩せねばならぬか。その見当をつけようとしているのだ。

したがって、ロシア側の最初の提案に屈することは、愚かといえよう。この時点では断固とした抵抗のサインを出すことが必要不可欠である。さもないと、ロシア側に「日本与(くみ)しやすし」との誤解をあたえ、のちのちまでことがこじれるもとになろう。ロシアのような組織原理をもつ体制の国では、いったん出先の交渉者に間違った信号を出し、それがクレムリンに到達したあとの修正はよほどの至難事と心得ねばならない。

相手側の事情、おかまいなし

右のようなケースで「日本の国民感情が承知しない」云々といった議論は、ロシアの出先外交官や交渉代表たちを、ただたんに困惑させるだけである。相手側の〝お家の事情〟など知っちゃいないと彼らは一顧だにしないだろう。ましてや、〝国民感情〟といった茫漠たるものを、彼らが本気で信じて、本国宛てに真面目に伝達するはずはない。もっと具体的な相互の利害計算の損得をビジネスライクにしめしてみせて、彼らをはじめて説得しうるのだ。

このことにかんして、もう少し詳しく説明してみよう。

〈すべてを知ることは、すべてを赦すこと〉。フランスの諺である。実際、相手側の事情を知れば知るほど、余計な情も移って己の立場を貫きにくくなる。とはいえ、相手側のある交渉ごとにおいて相手側の事情を理解する姿勢がなければ、いつまでたっても解決や妥結は不可能である。ここに、交渉のむずかしさ、ジレンマがある。交渉が、不可能を可能とする「パフォーミング・アート」(米国の国際政治学者、スタンレー・ホフマン)と呼ばれる所以である。

ところが、ロシアの交渉行動は、この点、実にはっきりしている。つまり、己に都合のよいことや有利になることとみるや、相手側のことを根ほり葉ほり調べる一方で、逆のことにはまったく「われ関せず」の知らんぷりの態度をしめす。もとより、そのような態度が、交渉をロシア側にとり不利に導くケースも発生する。しかし、良くも悪くも、これがロシア流交渉法なのだから致し方はない。具体例をあげよう。

他国の政治システムに無知

『ソビエトの外交と交渉行動』の著者、ウェラン博士は、ロシアの政治家や外交官は自分たち以外の国々の事情について想像以上に疎いと、ただただ呆れ返っている。とくに、自由主義諸国の政治制度の仕組みやその運営の実態について、驚くべきほどの無知蒙昧ぶりをさらけだして恥じるところがない、と記している。

たとえば、米国の大統領制について。米国の大統領は、たしかにイギリスや日本など議院内閣制を採る国の総理大臣とはくらべものにならないくらい大きな権限をもっている。とはいっても、ロシアのトップとくらべると問題にならない。トランプ米大統領の権限が、日本の総理大臣のそれにくらべていくら大きいといっても、プーチン・ロシア大統領のそれにくらべれば、まるで子供だましとみて、差し支えない。仮に米国大統領が諸外国と条約を締結し、それを自国に持ち帰ったとしても、必ずしも議会で批准されるとはかぎらない。しかし、こういった米国政治のベーシックなことですら、ロシアの指導者たちはまったく理解していない様子なのだ。このことをしめす二つのエピソードを、引用しよう。

その一。第二次世界大戦が終わった直後の一九四六年。米国のベルリン交渉団に随行したモーズリー博士に向かい、ソビエト代表団のひとりが尋ねた。「なぜ、アメリカ側の代表団のなかに、上院議員が加わっているのか?」。博士は答えた。米国においては「平和条約は、上院の三分の二の多数決によって批准される建て前になっているから、上院議員が最初から対ソ交渉に参加しているほうが万事何事につけ好都合なのだ」、と。すると、ソ連の代表は驚き、真顔で尋ねたという。「君は、政府が署名した条約を、上院が批准することを拒否するケースがある。まさかこういっているんじゃなかろうね」。

その二。それから、三二年たった一九七八年に、まったく同じ質問が発せられた。私は、このことを米国滞在中に、『ワシントン・ポスト』紙上で読み、帰国してからウェラン博士の研究書でも確かめえた。ソ連共産党政治局のなかの最年少者、グリゴーリイ・ロマノフは、米国の議会訪ソ団のアブラハム・リビコフ上院議員に向かい尋ねた。「カーター大統領自身が賛成しているSALTⅡ条約に反対している民主党員がいるということは、一体どういうことなのか？ なぜ、あなた方は、そのような者を懲戒処分にしないのか？」。そばでリビコフとロマノフの会話の一部始終を聞いていた米国の別の上院議員は、思わず叫んだという。「彼らは、アメリカの政治制度がどういうものかまったく理解していない‼」。

国民感情に動かされず

ロシアの最高政策決定者たちが、米国政治の基本的な仕組みすら正確に理解していない（あるいは理解していない振りをしている）のだから、その他のことは推して知るべし。ましてや〝国民感情〟などという、目にみえぬデリケートなものを、ロシアの政治家、外交官、交渉者たちに理解せよと要求するほうが、土台無理な話なのかもしれない。

ウェラン博士も、「センチメンタリティーは、ロシア外交においてなんらの役割も演じない」と記している。いな、ジョージ・ケナン、フィリップ・モーズリーといった米国でのロシア学の碩学(せきがく)にいたっては、決して他国の国民感情によって動かされないように訓練されることが、ロシア外交官教育のＡＢＣであるとさえみなしている。たとえば、モーズリー博士は記す。

「ソビエト代表団員たちを、ふつうの意味における〝交渉者〟と呼ぶことは適当ではない。彼らは、モスクワでつくられた要求の機械的なスポークスマンにすぎないからである。

彼らは、外国の政府や国民に影響をあたえている見解、関心、感情（センチメント）のインパクトから、意識的にみずからを隔離するように仕込まれている。外国に派遣されているソビエト代表団員たちは、〝帝国主義的、国際主義的な影響のとりことなった〟。こう非難されることを、なによりも惧れている。そのために、彼らは外国の見解や感情を自国政府に伝えるチャネルになるよりも、むしろそのような伝達を妨げる障害物とさえなるのだ」

リアリズム重視

ロシアの交渉者は、センチメンタリズムよりも、リアリズムの立場を重視する。米国のディーンは著書『奇妙な同盟』のなかで記す。「現在のロシアの指導者たちが一体何を求めているのか。もしわれわれがこのことさえ理解するならば、われわれは彼らとも十分やってゆける。もしわれわれがより強く、より賢く、そして自分の目的にかんしてロシアの指導者たちと同程度の確信を抱くならば、われわれは彼らと十分やってゆける。センチメント（感情）でなく、リアリズム（現実主義）によって動く人間と交渉している――このことを、われわれは理解する必要があろう」。

かつてのソビエト時代にブレジネフ書記長は、道義外交をふりかざすカーター＝ブレジンスキー・チームではなく、むしろ反共主義者のニクソン＝キッシンジャー・コンビと比較的うまが合い、事実、「第一次戦略兵器制限交渉（SALTⅠ）」締結・批准などの成果をあげた。その理由のひとつは、おそらく後者コンビのほうが冷徹なるリアリズムの立場に立っていたからだろう。同様に、クレムリンや北京の指導者たちは、日本の政治家のなかでは三木武夫氏などよりも田中角栄氏の政治・経済力やリアリズム感覚に敬意を払っていたとみられる節が感じられた。現在では、プーチンは、米ロ関係の「リセット（再構築）」をスローガンに掲げた民主党出身のバラク・オバマ前大統領やヒラリー・クリントン前国務長官よりも、共和党系のドナルド・トランプ大統領やレックス・ティラーソン国務長官をむしろ交渉相手として希望し、歓迎している節が感じられる。

〝ギブ・アンド・テイク〟なし

ロシアの交渉行動様式として、つぎに指摘したいのは、いわゆる〝ギブ・アンド・テイク〟の考え方を拒否しがちな傾向である。いわゆる〝ギブ・アンド・テイク〟は、文字通りこちらも譲歩する代わりにそちらも譲られたしの考え方。アングロ・サクソンを中心として発達してきた欧米諸国での交渉概念のもっとも大事なルールだといえるだろう。いや、今日このルールなしには、そもそも交渉などははじめから成り立たない。こういってよいほど、交渉の基本的中核を占めるコンセプトに他ならない。ところが、ロシアはなかなかそのようなルールに応じようとせず、しばしば相手側が油断すると、〝テイク・アンド・テイク〟の態度すらしめそうとするのだ。

欧米諸国の対ロ交渉の実務経験者たちはこぞって、ロシアが〝ギブ・アンド・テイク〟の態度をしめさないとのべる。その証言を、二、三、紹介する。

イギリスのヘイター元大使は記している。「ロシア人たちは、つねに勝利をめざして、交渉する。交渉の正しい目的は、決して相手側を打ち負かすことにはなく、互恵的な協定に到達することに求められる。このような考えを、ロシア人たちは決して思いつかないようである」。米国のハリマン元大使も同じくのべる。ロシア人の「交渉基準は、なんのお返しの期待もあたえず」、「なんの代償物の考えも伴わない」、ただひたすら相手側から「ギブ・アンド・ギブ」を要求するものであった、と。

モーズリー教授も、「ソビエトの交渉術」と題する論文で書いている。「ソビエト代表者たちは、ひじょうにしばしば協定への到達というものが、つぎのようなものによって可能になると説明されても、一向に信じようとしなかった。つまり、交渉当事者のいずれの側も己の立場の全部を貫徹させようとしないで、その代わりに各々が自分の立場の一部を獲得するという形でのギブ・アンド・テイクのやり方である」。モスクワ勤務の長かった米国の他の外交官、ロイ・ヘンダーソンも、ソ連駐在外交官たちの座談会のなかで同様に述懐している。「[共産主義指導者たちは、]西側の交渉者にとって当たり前のバーゲニング過程におけるギブ・アンド・テイクにまったく関心をしめさなかった」。

「妥協」の用語なし

ソ連製の字引のなかには、「妥協」という言葉すらなかった。もちろん現在では、ロシア語の辞典を引いてみると、たしかにこの単語が載っている。もっとも、それは英語「コンプロマイズ」から転用した「コンプロミス」という用語なのではあるが。

厳密にいうと、「妥協」という概念がロシアにあろうはずはなかった。ロシア人の伝統的な思考様式は、何度も繰り返すように〝力〟重視のそれである。何事においても強い〝力〟をもつ人間の要求が支配し、〝力〟の弱い者はその声に従うほかない。このようなロシア式思考様式に、「妥協」は、本来なじまないコンセプトといわざるをえなかった。スミス記者も、このような見方に賛成して、つぎのように書いている。「ソ連の交渉者たちは、妥協を、ほぼ同等の地位を前提とするアングロ・サクソン民族の概念のようにとらえている。妥協という考えは、ロシア的な役人根性の本能には起こりえない。というのも、ロシア人に本能的に生じる問いは、誰がより強く、誰がより弱いかだからである。本来、いかなる関係も力のテストなのである」。

マルクス主義の階級闘争イデオロギーが、妥協を嫌うロシア式の伝統思考をさらに助長した。こう考えても、間違いないかもしれない。故モーズリー博士は書いている。「妥協」の言葉そのものが、そもそも「ボリシェビキ流の思考法になじまない」概念なのである。「妥協」は、「堕落した」とか、「腐敗した」といった、あまり良くない修飾語やニュアンスを伴って用いられる傾向がある、と。そういわれてみてはじめて私もそのようなことに気がつき、その後ソビエトの文献類を注意して読んでみた。すると、ソビエトやロシアの新聞・雑誌上で用いられているロシア語の「妥協」は、必ずしも故モーズリー教授が冷戦期の一九五一年に執筆された論文で指摘したようなニュアンスばかりで用いられているとはかぎらないことが分かった。このことは、ロシア式交渉にいささかの成長と柔軟性が認められるようになったことを証明する変化といえよう。

「妥協」という用語と並んで、ロシア人は、「譲歩」という言葉も好まない。なぜならば、彼らによると「譲歩」――これは、「弱さの証明」に他ならないからである。レーニンは、譲歩することとイコール「資本主義への貢献」を意味するとみなした（『レーニン全集』、ロシア語版第四四巻）。フルシチョフも、そもそも「われわれの提案は、取引するためにつくられているのではない。ゆえに、譲歩してはならない」とのべた。ケネディ大統領下で対ソ交渉に従事したアーサー・シュレシンジャーも、自著『ケネディ回想録』のなかで、このようなフルシチョフの態度を確認している。「フルシチョフは、君たちがあれをくれれば、われわれはこれをやろうという商取引用のバーゲニング用語を拒否した。自分は一体何を譲るというのか」。

最終段階での妥協

もとより、現実には、ロシア人とて妥協もする、譲歩もおこなう。このことは、歴史が証明している。さもなければ、およそロシア人相手の交渉には永遠に妥結や終わりというものがまったくないことになろう。

しかし、ロシア人が妥協や譲歩をする場合ですら、なお私が指摘したいことがある。ここでも、一種のロシア式妥協法と呼ぶべき特色が見出されることだ。では、ロシア式妥協の特色とは、一体なにか？　それは、つぎのような場合にかぎってなされ、つぎのような付帯条件や特徴を伴ってなされる点に求められる。妥協や譲歩する以外、その他にまったく選択肢がないことが明確になるとき。妥協や譲歩をしないと、ロシアの国益や立場が大きく損なわれると判断されるとき。——これらが、明らかになる最終ギリギリ結着の瞬間、ロシア人はやむなく妥協や譲歩をしぶしぶおこなう。あくまで例外行為としておこなう。しかも、いったんトップが妥協すると決するや、それまで主張してきた立場や論理と矛盾したり、首尾一貫性が欠如したりしようとも、そんなことは一切おかまいなく、自己の立場を豹変し大転換をおこなって、一切恥じるところがない。これらは、あくまで私が観察、研究したロシア式妥協の諸特徴である。これらのうち一、二の特徴にかんしては、欧米諸国の専門家たちも同意し、指摘するにやぶさかではないようである。紹介してみよう。

たとえば、ロシア人が交渉の最終段階になってはじめてしぶしぶ譲歩する傾向は、ブレーカー博士によってつぎのように指摘されている。「ソ連外交官はそもそも放棄してよいような利益というものをほとんど認めないので、譲歩する場合にはいやいやながら、またゆっくりとおこなう。しかも、他のすべての手段が失敗したときにはじめてそれをおこなう」。

ロイド・ジェンセン教授（テンプル大学）は、戦後の米ロ軍縮交渉をつぶさに検討した結果、いろいろ貴重な発見を報告しているが、そのうちのひとつとして現在の文脈に関連し実に興味深いものがある。つまり、米国側の譲歩が交渉の比較的早い段階でなされているのにたいして、ロシア側の譲歩が遅い段階でなされている――。このことを、同教授は統計数字で証明できるというのだ。教授は、米ロの軍縮交渉過程すべてを七ラウンド（段階）に分けた。すると、米国側の譲歩のうち八二％までもが、最初の一～三ラウンドでなされている。ところが他方、ロシア側の譲歩の実に七五％が、最後の三段階、すなわち五～七ラウンドでおこなわれている。こういう事実が分かったという。単純なようにみえて、実に興味ぶかい発見であるように思われる。

デパーチャー・タイム・デシジョン

私の知人に、日ロ漁業交渉に過去何十年と携わり、その分野の神様ないし生き字引のような日本人がいる。その人物は私に直接向かって、日ロ漁業交渉では、あわや交渉決裂寸前になってはじめてロシア側は思い切った譲歩をする習性がある。こう教えてくれた。いわゆる〝出発間際ギリギリの決断〟（デパーチャー・タイム・デシジョン）と呼ばれるテクニックである。あるいは、ロシア人との交渉は、帰りの飛行機のタラップに足をかける寸前にまとまることが多いといわれているのも、同じことである。

ソ連共産党員も、日本共産党員にたいして同様の交渉態度をとる。日本共産党元副委員長、袴田里見氏も『私の戦後史』で記している。共同コミュニケのサインを拒否した袴田氏を飛行場まで追いかけてきたポノマリョフ（ソ連共産党書記、国際部長）は「タラップに片足をかけた私の袖をひっぱって執拗に食い下がった。袴田同志、共同コミュニケにサインしてくれないか。サインしてくれないと困る」。

一九七四年一月、北京における日中航空協定交渉中、日本側全権である大平正芳外相（当時）が、交渉半ばのパーティーで本来なら別れの宴でのべるべく用意されていたスピーチ原稿を誤って（？）間違ったポケットから取り出して読みはじめたために、中国側がびっくりし、直ちに交渉が日本側有利の条件に近い線でまとまりかけたという、怪我の功名ならぬエピソードが伝えられている。ところが通常は、生来短気なうえに、一定の期間中に必ず一定の仕事をなしとげないと気がすまぬ日本人交渉者は、交渉の最終段階が到来するずっと以前の段階で、早々と妥協してしまう過ちを犯しがちである。

ロシア人は、ひとたび己の立場を変えるとなると、それが以前の立場からたとえ一夜にして一八〇度の転換であろうと、そのような矛盾に一向に心を痛めたり悩んだりすることはない。それまでに主張していたことなどケロリと忘れて、いわば平気の平左衛門なのである。イギリスのヘイター卿も、ロシア人は「首尾一貫性の欠如にたいするこだわりがまったくない」ために、「長い討論のあと急転直下、みずからの立場を平然と変更」して、まったく恥じるところがないと記している。ロシアの文豪ミハイル・レールモントフがその傑作『現代の英雄』のなかで書いている「ロシア人の信じがたいほどの柔軟性」である。つまり、「ロシア人は、たとえ悪であれ、それが必然もしくは絶滅が不可能とみとめる場合には、それを許すという常識を身につけている」。

戦い済んでも日は暮れず

最後に、もうひとつ重要なロシア式交渉スタイルの特色を記しておこう。それは、交渉が終わってからの行動である。欧米人とくに日本人は、交渉が終わると、やれやれと一服するか、もうつぎの仕事に向けて、早や全力疾走をはじめがちである。ところがロシア人は、協定や条約の締結や調印をもって、必ずしも交渉段階がすべて終了したとはみなさないのだ。

交渉を闘争の一形式とみなすロシア流の考え方によれば、条約の締結は未だ闘いの全過程における一通過点に過ぎない。それは、自己の力を今後より一層強化するまでの一時的な合意以外の何物でもない。ロシアは、時として「退却」する。だが、決して「屈伏」しようとはしない。このように言い換えてもよいかもしれない。その後、協定を変更するか、実践過程で条文内容を事実上、骨抜きにし死文化する。そのためのあらゆるチャンスを虎視眈々と狙いつづける。

公文書に厳密に明文化した場合ですらこうなのであるから、ましてやそうでない場合は推して知るべし。たとえ口頭で実質的な合意に到達していようとも、正式書類に調印する時点までは、対ロ交渉は未だなお継続中とすら心得ねばならない。往々にしてロシア側には、最終段階の土壇場ですら、それまでの合意事項をひっくり返す修正案を提案する傾向がみられるからである。これは、ロシア側にとり朝食前の芸当。いや、むしろ当然至極の行動でさえあるからなのだ。そのような当たり前のことにいちいち一喜一憂する日本側の細かな神経こそ、彼らにとり度しがたいもののように映る。

たとえば一九七三年一〇月の田中（角栄）―ブレジネフ首脳会談で、ロシア側は『日ソ共同声明』中に「戦後未解決の問題」なるフレーズを挿入することにいったん合意した。ところが、日本代表団の東京出発前に宿泊ホテルに訪ねてきたロシア側代表は、このフレーズの「問題（単数形）」を「諸問題（複数形）」へと変更してほしいと申し入れた。英語にすれば

「S」の一字、ロシア語にしてもわずか一字の違いである。ところが、うっかり、その提案に応じたことが、日本側にとって後々まで悔やまれる命とりの大失敗になった。「戦後未解決の問題」ならば、それがすなわち北方領土問題を指すと日本側は主張しうるが、それを「戦後未解決の諸問題」と表現してしまうならば、それが即（イコール）「北方領土問題」を指すとはかぎらなくなってしまうからだった。日ソ両国間には、「領土」のほかにも、毎年協議せねばならない「漁業」その他の問題が存在する現状を鑑み、これはたんに、国家間の当たり前のことをのべたに過ぎないセンテンスと変わってしまった。たとえ間接的とはいえ、領土問題を『共同声明』中に書き込むことにやっとの思いで成功した田中訪ソの意義を、一瞬にして吹き飛ばしてしまう結果になったのである。

第7章 連続

体制変化で「新しい人間」は必ずしも生まれず

「ロシア人」と一括使用

私は、これまでひじょうに重要なことを、読者に一言も断らないで話を進めてきた。ここで、遅ればせながら断っておきたい。それは、二つのことである。そのどちらも「ロシア人」という言葉の使い方の問題にかんしてである。

まず、小さなことから。文意から明らかであったとは思うが、私がこの本のなかで「ロシア人」というとき、それは、ロシア帝国、ソ連邦、そして現ロシア連邦を構成しているさまざまの諸民族の差異を一切無視し、それらの諸民族の一切合財をひっくくって「ロシア人」

と総称してきた。

ところが、たしかに厳密に「ロシア人」というとき、もっとも狭い意味では生粋のロシア民族（「大ロシア人」とも呼ばれる）を指す。その場合、ウクライナ人（かつて「小ロシア人」と呼ばれた）、ベラルーシ人（かつて「白ロシア人」と呼ばれた）からも区別される。「大ロシア人」、「小ロシア人」、「白ロシア人」はスラブ民族なのであるが、厳密にいうと若干異なる。現ロシアには、これらスラブ系三大民族の他にに、非スラブ系の諸民族が生活している。たとえば、ウズベク人、グルジア人、タタール人、ユダヤ人……等々。その数一二〇～一五〇にものぼる。私が本書で「ロシア人」と呼ぶ場合、これら全部の諸民族を束ねた総称に他ならない。

そういえば、このことは「日本人」と総称するときにも程度の差こそあれ当てはまることだろう。日本人は、世界中を探しても他にちょっと類がないくらい相対的に同質的な民族だといわれている。そのような日本でも、今日、世界の種々様々な国からの人々が——日本国籍を取得し、しないにかかわらず——住まいし、生活している。また、言葉や生活風習などの点で、まだ地方差も若干残っていよう。たとえば江戸っ子、関西人、東北人、九州人のあいだで、そうだろう。だが、このような厳密なことをいいだすと、日本人論など最初から問題外になってしまう。

ほぼ同様に、ロシア帝国、ソ連邦、現ロシア連邦の場合、その構成民族の差をいちいち問題にしはじめたならば、もうお手上げ、何ひとつ一般化することは不可能になるだろう。このような意味で、本書で「ロシア人」とか「ロシア的」という場合、私は、主として一二〇〜一五〇もあるといわれる構成諸民族のあいだに存在する差異を一切無視し、それらすべてをひとくくりにして、「ロシア人」とか「ロシア的」として語っている。

「ロシア＝ソビエト人」とのべるわけ

ボリシェビキ革命後の約七〇年に及んだソ連期について語るときですら、私は本書で「ロシア」という言葉を用いている。一般的にいって西欧人のなかには、ソ連のことをロシア、ソ連人のことをロシア人と書いたり、しゃべったりする人々が多い。たとえば中国のことや中国人のことを支那、支那人と呼ぶように。ひとつには、「ソビエト人」という言葉がなじんだロシア語にならなかった。用語としては存在したが、どうもしっくりとせず、ソ連解体時までに遂に市民権を獲得しなかったからである。

西欧人が「ロシア人」という言葉を平気で使う意識の背後には、つぎのような思いもひそんでいよう。私の立場も、そうかもしれない。たしかに、ロシア革命によって国の制度や仕組みはかなり変わったかもしれない。とはいえ、ロシア人の国民的性格は、だからといってそれほど大きく変わらなかった。人間の意識や心理は、一夜で急変するような生やさしい類いのものでない。

まさにこのことが、私の第二に断りたい、大きなことと関連する。つまり、私はこれまで、本書で、正確には「ソ連」というべきところを「ロシア」、「ソ連人」というべきところを「ロシア人」と記しがちだった。そのような書き方を私がおこなった理由を、本章で以下説明しておく必要があろう。というのも、この点に、私の重要な立場が存在するからだ。ここで、わざわざ一章を割いてまで説明する理由もそこにある。やや退屈な章になるかもしれない。改めてそのようなことを説明する必要などまったくなし。私の言いたいことがはよく分かる。同感でさえある。このようにお考えになる読者諸兄姉は、この章をとばしてつぎの章へ読み進めてくださって一向に差し支えない。

レーニンらは〝新しい人間〟づくりをめざした

「革命」は、大別して二種類に分かれる。ひとつは、主として国家・政治・経済の仕組みを根本的かつ短期間で変更しようと欲するもの。この種の革命を、「狭義の革命」、もしくは「制限革命」というむずかしい名前で呼ぶ学者もいよう。

もうひとつの種類の革命は、人間の全生活様式にも及ぶ変革をめざすもの。右にのべた「制限革命」がめざす政治や経済はもちろんのこと、それらに加えて、文化、社会、礼儀作法、宗教等々の領域をも広く巻き込もうとするもの。つまり、この第二のタイプの革命は、政治・経済改革のほかに、文化革命もめざす。さらに、意識ないし心理革命、すなわち新しいタイプの人間づくりの課題にすら取り組もうと試みる。専門家によって、「広義の革命」、もしくは「無制限革命」と名づけられえよう。

レーニンをリーダーとするロシアの「共産主義」者たちが惹き起こし、遂行しようとしたソビエト革命は、右の二分類のうち、どちらの革命だったのか？「狭義の革命」なのか、「広義の革命」なのか？「制限革命」なのか、「無制限革命」なのか？明らかに、後者だった。彼らは「広義の革命」、「無制限革命」をめざしていた。

他ならぬ彼ら自身が、このことを明快なまでに宣言していた。彼らは、政治、経済の変革だけでは決して満足しない。「共産主義」社会の達成をめざす。そして、彼らがめざす「共産主義」の建設は、人間の意識改革がなされてはじめて完成する、と。このことを明言したレーニンの言葉を引用しよう。「社会主義への移行のためには、完全な変革、すなわち、すべての人民大衆のあらゆる領域にわたる文化的な発展が、必要、不可欠である」。なぜならば、「人間の行動様式の型やその活動の動機が根本的に変革されることなしには、社会主義から共産主義への移行はありえない」からである（傍点、いずれも木村）。

このように、ソビエト革命は、終局的には人間の意識改造をもくろみ、それを達成するまでは目標を実現しえたとはみなさない。そして、人間意識の改造――これは、〝新しい（ソビエト的）人間〟の創造と言い換えて差し支えないだろう。フルチョフ期の文献（一九六〇年）は、のべた。「革命の実践そのものの範囲は、新しい物質的な生活条件を創り出すことよりも一層広い。すなわち、それは、同時に新しい人間の創造である。社会主義は、資本主義の奴隷的習性、利己主義、個人主義から解放された、新しい人間を造り出すのだ」（サムソノフ他、『共産主義教育の諸問題』、傍点、木村）。

人間はプラスチックである

ソビエト期の指導者たちによる革命にかんする考え方は、ひとつ重要なことを前提にしていた。それは、「人間の可塑性ないしプラスチック性」である。つまり、人間性は、プラスチックのように自由につくりかえることが可能な存在であるとの考えにもとづいていた。

右は、ソビエト革命の理論が、弁証法と史的唯物論の教えに従っていることから、機械的、自動的に導き出されてくる考え方だった。ひじょうに荒っぽく説明すると、以下のような考え方である。まず弁証法は、この世に存在する万物は絶えず変化すると教える。つぎに史的唯物論は、上部構造の一種である人間意識は社会的な下部構造によって基本的に決定される、と説く。上部構造、下部構造は、ともに史的唯物論の言葉である。下部構造とは、一定の歴史的な社会の経済的構造をいう。上部構造とは、その下部構造の上に形成される政治、法、哲学、道徳、美、宗教などの意識や制度を指す。

フルシチョフ時代のソ連の文献は、弁証法と史的唯物論が教える人間の可塑（プラスチック）性について、つぎのように説いていた。「人間、人間の精神的、道徳的な資質は、不変なものではない。物質的な財をつくる生産手段が変化すると、必然的に人間そのもの、人間の精神的プロフィール、世界観、心理、習慣の変化が起こる。各々の社会体制は、それに適合するところの人間のタイプをつくる。より発展した歴史的段階には、より発展した人間個人が対応するのだ」。

要するに、ソビエト理論はつぎのように説いた。社会の下部構造が変われば、それに伴って上部構造のひとつである人間意識も、必然的に変わらざるをえない、と。しかし、それだけが、ソビエト理論のすべてではなかった。この人間意識の変革は、決してただ待ちさえすれば自然に発生するものではない。人間意識の成熟や変化は座って待っているだけでは起こらない。その変化や成長の過程を人間の力で助け、スピード・アップすることが肝要である。こう考えて、ソビエト理論は人為的な努力を重要視した。

たとえば、フルシチョフ時代のソ連の文献は、この人為的な努力や加速化の重要性をつぎのように強調した。「社会主義の経済的、政治的体制が、個人の全面的な発展を促すということは、決して意識革命が何か自発的に発生することを意味しない。社会は、客観的要因だけに頼りっ放しで、客観的要因がその仕事を完了するのをただ待つことはできない。あらゆるイデオロギー的手段を用いて、意識改造の過程を速めてやる営為が伴うことが必要である」。

「政治的社会化」の独占

ソビエト理論は、このように人間意識の変革を人為的に促進する必要を認め、かつ重視した。しかも、つぎに注目すべきことを強調した。すなわち、そのような人工的な努力による意識革命、もしくは人間改造という作業にかんして、ソビエト体制が他の体制にはみられない圧倒的な強みないし有利性をもっていること。というのも、ソビエト体制の独裁的性格がこの種の任務や作業に大いに貢献するからだ。

「政治的社会化」という言葉がある。これは、赤ん坊として生まれ落ちた人間が、社会の一員となってゆく政治的な過程を指す。ソビエト体制は、「政治的社会化」の機能や機関を、ほとんど独占に近いまでに支配、コントロールしていた。それゆえに、社会の構成員を体制側が望むように政治的社会化することが可能ないし容易になった。説明しよう。

ふつう政治的社会化の役割をになうのは、どのような国であっても家庭、学校、政党、労働組合、マスメディアなどの組織である。したがって、これらのグループや機関は、「政治的社会化のエージェント」と呼ばれる。このようなことは、旧ソ連でも大差なかった。とはいえ大きな差があったのは、これらのエージェントにたいする国家権力のコントロール、ならびに影響力の大きさだった。いわゆる自由主義諸国では、国家がこれらのエージェントに介入することはあまり好まれず、実際大きな抵抗を覚悟せねばならない。ところが、ソビエト体制下では、学問の自治もなく、第四権力としてのマスコミもなく、労働組合も御用組合化していた。そのために、国家権力による政治的社会化の営為を妨害したり阻止したりする組織やメカニズムはまったく存在しなかった。

いや逆に、ソビエト社会での諸団体や集団は、共産党や政府の決定を下部や底辺に忠実に伝達する「伝輸器（トランスミッション・ベルト）」（スターリン）としての役目を果たすことが義務づけられていた。ソビエト体制は、これらのエージェントを総動員して、自己の望む新しい「政治的文化」、その担い手としての人間、すなわち〝新しい（ソビエト的）人間〟の創造を可能なかぎり早く実現しようと懸命になった。

魂のエンジニア

これらの「政治的社会化」に携わる諸エージェントのなかでも、とりわけ教育機関に期待される役割は大きかった。いかなる体制下の国でも、教育機関は「政治的社会化」機能のもっとも重要な担い手とみなされる。このことは、ソビエト時代のロシアでも変わらないどころか、まさにそのようなものとしてみなされた。ソビエト体制下で「教育」とは、端的にいうと旧い社会の旧いタイプの人間を破壊して、それに代わる新しい社会にふさわしい新しいタイプの人間を創造し、育成することを意味した。

右にのべたことは、ソビエト公式文献のなかにはっきりと記されており、なんら隠すべき秘密事ではなかった。たとえばソビエト政権初期に教育問題を担当したミハイル・カリーニンは、明快に記した。「教育とは、人間の魂のエンジニア（工作者）である」、と。また当時、『ソビエト教育学』雑誌に掲載された論文は宣言していた。「新しい道徳をもつ新しい人間の形成が、ソビエトの学校、家族、そして社会集団の最高の責務である」。「ソビエト教育学の父」と称されたアントン・マカーレンコとなると、さらに徹底し、つぎのようにのべた。ソビエトにおける「子弟教育の狙いは、ソビエト国家に必要なパーソナリティ（個人）の形成である」、と。

国家が人間をつくりかえる

ソ連時代の政治家や理論家たちの右のような言葉や所説を聞いて、西側の知識人たちが腰をぬかさんばかりに驚いたのは、当然至極だった。西側の人間、とくに知識人たちは、原則としてレセ・フェール（自由放任主義）の伝統を守ろうとする、良くも悪くも骨の髄からの個人主義者だからである。そのような彼らが、ソ連における教育が、〝新しい（ソビエト的）人間〟、ひいては〝ソビエト国家に必要な人間〟をつくるための工作であるとの考え方を聞くや否や、驚天動地の思いをしたに違いなかった。国家が人間をつくりかえる——。彼らにとり、これは想像することさえ許しえない「魂にたいする暴力行為」以外の何物でもない。彼らは口をそろえて、これこそソビエト体制のなかでもっとも恐ろしい全体主義的な側面であるとみなした。

たとえば、イギリスのレオニード・シャピーロ教授（ロンドン大学、ロシア政治専攻）は、ソビエト体制が「社会と人間の両方」を完全に変形しようともくろむ、まさに全体主義に他ならないと厳しく批判した。いや、「社会と人間の両方」というよりも、主眼は前者よりもむしろ後者の「人間」のほうにあるのではないか。こう疑ってかかる見方すら存在した。つまり、ソビエト革命の本当の狙いは必ずしも「制度」、すなわち人間を操作する諸条件の変革ではなく、むしろ「人間の改造」をめざしているのだ、と。

たとえば、ハンナ・アーレントは、疑いもなくそう考えたひとりだった。彼女は、ボリシェビズム、ナチズム、ファシズムを全体主義の典型とみなし、これら三つを併せ論じた有名な書物『全体主義の起源』で記した。「全体主義イデオロギーの本来の狙いは、外部世界の変形でもなく、社会の革命的変更でもなく、人間の本性（ヒューマン・ネーチャー）そのものの変形である」、と。

また、かつてわが国の知識人に人気が高かったハロルド・ラスキも「ソ連の実験の根本は、いつに〝人間のつくりかえ（リメーキング）〟にある」とみなした。

〝新しいソビエト人間〟は誕生したのか?

しかしながら、以上のべてきたことは、良くも悪しくもあくまで机の上の議論だったと称しうるだろう。つまり、ソビエト体制は、〝新しい人間〟をつくり出すという己の目的ないし願望について語った。他方、個人主義者が多い西側は、人間を改造することなど神をも恐れぬ行為であるとみなして批判を加えた。では、実際は一体どうなったのか。果たしてソ連邦に〝新しい人間〟が生まれたのか。この問いにたいする答えがもし「イエス」ならば、ソ連の指導者にとりめでたし、めでたしとなったろう。他方、西側の個人主義者たちにとっては、ジョージ・オーウェルによってその未来諷刺・SF小説『一九八四年』で予言されていた時期にくらべて一層早く、完全な全体主義が地上に出現したことを意味したであろう。ところが、答えが逆に「ノー」ならば、ソビエトの指導者たちは、ただ自分の願望を語っていたに過ぎなかったことになろう。彼らの希望的観測を真面目に受け取ろうとした西側の個人主義者たちは、安堵の胸をなでおろしうることになろう。

では、その後のソ連に、〝新しいタイプのソビエト人間〟が誕生したのか？　この質問にたいしては、大別して三つの回答がありうる。「イエス」、「ノー」、「イエス・アンド・ノー」の三つである。

楽観的なソ連の革命家たち

ソビエト指導者たちは、もちろん「イエス」と答えた。つまり、ソビエト政権下では帝政ロシア時代とはまったく異なる〝新しいタイプのソビエト人間〟が生まれた、と。このように主張しないと、革命後数十年もたつのに、本来自分たちがめざしたはずの目標が達成されずにいる残念至極な現実を、自認することにも等しくなるからである。

一般に、マルクス主義者のなかには、性善説の信奉者が多い。つまり、人間の本質は善きものであると思い込んでいたり、人生や社会が理論通りに展開すると考えがちな楽天的な考えの持ち主が多い。また実際、ソ連の革命家たちのなかには人間性、とりわけその可塑性について単純かつ楽観的な考え方をする者が多かった。たとえば、レーニン、トロツキイと並ぶソ連史における高名な理論家、ブハーリンですらつぎのようにのべていた。「もし、われわれが人種的、国民的性格というものは、それを変更するのに何千年もかかるほど大きなものであるという見解をとるならば、当然、われわれのすべての仕事は馬鹿げたものとなるだろう」。人間性の可塑性、とくに人間意識の改革に要する時間にかんするソビエト指導者の楽観的な観方が、実によく表わされている言葉に他ならない。

スターリン時代を経て、フルシチョフ期に入ると、〝新しいソビエト的人間〟が現実に誕生しつつあるとの主張すらなされるようになってきた。フルシチョフ政権の公式スポークスマンだったレオニード・イリイチョフ（ソ連共産党中央委員会の宣伝・啓発部長）は、一九五九年に豪語した。「本当のことをいうと、社会主義革命の歳月のあいだに、ソビエト国民は自分自身を変革してしまった」。

フルシチョフの権力が最高潮に達した一九六一年に出版された重要文献『マルクス・レーニン主義の基礎』も、同様に記した。「ソ連邦では社会主義革命の過程に人間意識の改造がなしとげられ、たとえばブルジョア的個人主義に対立する集団主義といった新しい精神的な特徴がすでに出現している」。翌六二年出版の『ソビエト教育学』は、さらに明瞭に書いた。「人間性が不変であると説くブルジョア的な見解を完全に反駁する証拠としてあげうるのは、わが国と社会主義陣営で〝新しい人間〟が形成されつつあるという事実である。〝新しい共産主義社会の人間〟が、今日、誕生しつつあるのだ。〝新しい人間〟が自信を抱いて闊歩している。共産主義の前夜に差しかかった今日、未来社会の人間の道徳的なプロフィールがますます明確に表われつつある」。

ローマは一日にしてならず

もとより、同時に指摘せねばならないことがある。それは、右に紹介したような〝新しい人間〟の誕生についてのソビエト政権による楽観的な見通しに対して、慎重論もまた存在した事実である。文学は、良くも悪くも人間の合理的側面も非合理的側面も扱う。したがって、文学に携わっていたソビエト期の知識人たちは、政治家ほど物事を簡単にとらえようとしなかった。

たとえば、ソビエト・ロシアが誇る数少ない文豪の一人、イリヤ・エレンブルグは、『わが回想―人間・歳月・生活―』で、つぎのように書いた。

「私は、それまでにすでに〝下部構造〟と〝上部構造〟があることを知っていたが、ポルタバ［ウクライナ］にきてはじめて、〝上部構造〟の醜さについて、そして、それとともにその頑固さについて真剣に考え込んだものである。以前には、プロレタリアートが権力を自己の手中に握りさえすれば、二四時間で人間を変えることができるかのように思っていた。私は、被告たちの自供、証人たちの証言を聞きながら、万事はそう簡単にはいかないことを悟った。私は、図書館からチェーホフの短編を借り出してきた」（木村浩訳）

アレクサンドル・ソルジェニーツィンも、ソ連滞在中に書いた作品『ガン病棟』で登場人物のひとり、シュールビンにつぎのように叫ばせている。これは、当時のソ連人の気分の一端を表わしていたとみなしてすらよいのではなかろうか。「社会が急激に変わったとき、われわれは考えた。生産手段を変えるだけで十分だ、人間はすぐ変わる、とね！　そうは問屋が卸さなかった！　人間は少しも変わらなかった。人間だって生物の一種だからね。変わるには何千年もかかる！」（小笠原豊樹訳）

さらに興味深いのは、社会主義から共産主義への移行を熱心に唱えたはずのニキータ・フルシチョフ党第一書記自身も、実は人間意識のなかにひそむ「過去ののこりかす」の粘り強さについて気づいていたことである。フルシチョフは第二二回ソ連邦共産党大会（一九六一年）の席上、つぎのようにのべた。「人間の意識のなかでの資本主義の遺物との闘い、すなわち幾百万の人々が何世紀にもわたって形成してきた習慣や風習を変更すること――これは、わが革命によってはじめられたものである――は、長期にわたる困難な作業である。過去ののこりかす――これは、悪魔のように人間の理性を圧迫する恐ろしい力である。過去ののこりかすは、自分を生み出した経済的条件が消滅した後、なおも長いあいだにわたって数百万人の人々の日常生活と意識のなかに根をはりつづけるからである」（傍点、木村）。

右のフルシチョフの言葉から推測されることがある。それは、さすがのフルシチョフといえども、社会主義革命によるソビエト政権の成立と同時に過去の遺物が容易に一掃されて、〝新しい人間〟が直ちに誕生する。おそらくこのように考えていなかったことである。これは、分かり切った、当然のことであった。とはいえ、革命後四〇年以上たったフルシチョフ期ですら未だ〝新しい（ソビエト的）人間〟が生まれていない――このことを公的に認めるならば、どうであろう。それは、ソビエト政権の沽券にかかわるおそれがある。そこで遅まきながら、右の発言にみられるように「過去ののこりかす」との闘いが長期戦になるということも徐々にのべはじめるようになった。このようにも解釈できるだろう。

ところが他方、フルシチョフ本人、あるいはその理論的スポークスマンは、だからといって、この当たり前のことを力説するわけにもゆかない。もしそうすると、当たり前のことをすっかり良いことにして、〝新しい（ソビエト的）人間〟がそんなに早く誕生してたまるか――こう開き直っているかのような不適当な印象すらつくり出しかねない。さらにいうと、共産主義人間とは共産主義の完成によってはじめて生まれる筋合のものと説いているように誤解されかねない。フルシチョフ時代において未来学の最高権威とみなされたツォラク・ステパニャンが、たとえばつぎのようにのべるとき、そのように誤解する者が生まれても仕方なかったろう。「新しい人間の教育は、社会主義の建設とともに完成するのではない。共産主義の発展的建設の条件が備わってはじめて、共産主義的意識の完全なる勝利のための前提条件がつくり出されることになる」。ソビエト時代、その他の学者たちは、さらにつぎのようにものべるようになった。「社会のすべてのメンバーの全面的で、調和ある発展は、共産主義の高次の段階になってはじめて達成される」、と。

これでは、あたかも鼻先にぶらさげられたニンジンを馬が永遠に追いかけつづけることにも似た印象すら抱きかねなくなる。すなわち、これは〝新しいソビエト的意識をもつ人間〟の創造という目標の実現を、先へ先へと引き延ばしてほとんど無限に永遠の彼方へ繰りのべようとするロジックでないか、と。ちなみに、ソビエト市民はそもそも共産主義の到来などまったく信じていなかった。このことをしめす有名な小噺は、つぎのように言う。「共産主義は、地平線のようなもの。近づいても近づいても、それに到達することはできない」。

人間改造の試みに成功せず

右にのべた諸点にかんしては、もとより、西側の観察者たちのほうがはるかに率直だった。彼らにはソ連の政治家や理論家たちのように偽善者になったり、理論と現実とのあいだの辻褄を何とかして合わせたりする努力をおこなう必要に迫られていなかったからである。〝新しい（ソビエト的）人間〟が誕生しているかとの問いにたいして、その程度次第によっては、欧米諸国においてすらも「イエス」と答える者が、たしかに若干名存在しないわけではなかった。しかし、本来ソビエト政権がめざしているような定義での〝新しい人間〟という意味では、そのような者が誕生していない――こう答えるのが圧倒的多数の見方だった。

まず、少数説の立場を紹介しよう。イギリスのソ連通、アレクサンドル・ワースが、その貴重な（!?）ひとり。ワースはつぎのように書いたからである。「私は、〝ソビエト的人間〟が実在し、過去三世代にわたって発展しつづけてきた。全面的にこう信じている」。そう信ずる理由として、ワースは、自著『フルシチョフ下のロシア』（一九六二年）のなかでのべた。「長い訓練の過程を経て、ソ連以外の国であるかなり明確な〝道徳的タイプ〟の人間が生み出されうるとしよう。たとえばイギリス人やスコットランド人が、独自の習慣と多少なりとも他から尊敬されるような道徳作法の掟をもって、〝典型的な〟性格をつくり上げてきたように。だとすると、ロシアの場合も、四〇年以上にもわたる比較にならないほど集中的な訓練システム下で、かなりハッキリとした道徳的タイプが生み出されうるはずだろう。この事実をどうして認めようとしないのか」。

シカゴ大学のジェレミー・アズラエル教授も、ソ連に〝新しいソビエト人間〟が誕生しているとの見方の持ち主だった。教授は、フルシチョフ時代にソ連に留学し、モスクワ国立大学の学生寮でソ連の若い世代と起居をともにした体験にもとづいて、ソ連学生の大多数を

〝新しい（ソビエト的）人間〟とみなした。

しかしながら、問題があった。というのも、ワースもアズラエルも、たしかにソ連に〝新しいタイプの人間〟が生まれているとはのべはした。しかしながら、それが共産主義が当初めざした理想的なタイプの〝新しい人間〟であるとは、彼らは一言ものべなかったからだった。とくにアズラエル教授が〝新しい（ソビエト的）人間〟というとき、彼が具体的に指していたのは、「政治的に無関心であると同時に、政治的に忠実である」という現状満足型のソビエト人だった。これこそが、もしソビエト政権がその本音部分で欲している〝新しい人間〟像だと解釈するのならば、たしかに目標達成と慶賀すべきことになるだろう。もっともその場合、建て前と本音とのあいだの食い違いという別の問題が生じるだろうが。

要するに、ワースもアズラエルの意見も、結局、西側の大多数のそれと大して変わらなかったことになろう。つまり、西側の多くのソ連研究家たちは、共産主義が当初めざしたタイプの〝新しい人間〟づくりに、歴代のソビエト政権が結局のところ失敗したのだと考えた。たとえば当のアズラエル教授自身が、別の書き物ではつぎのような意見をのべたからだった。「ソ連は政治権力を独占し、経済構造を一元化することには成功したものの、〝包括的で、一枚岩のように同質的な政治文化〟をつくり出すことにはまったく成功しなかった」。その名前から判断しておそらくスラブ系と思われるE・クタイソフ教授は当時、もっと明快にのべた。ソビエト期ロシアでは、「経済的土台の変化が、自動的に上部構造や人間行動様式の変化をもたらすであろう――。初期に抱かれたこの種の期待は、見事な失望に終わった」。

ロンドン大学のシャピーロ教授は、すでに紹介したように、ソビエト体制を「社会と人間」の両方の完全な変革をめざす全体主義であるとみなして、批判を加えた。しかし、同教授はソビエト体制の目標や理論を痛烈に攻撃したものの、振りあげた拳を半分降ろさざるをえなかった。というのも、教授は、現実のソ連下でそのような目標が達成されていたと判断しなかったからである。教授は、つぎのように記した。「〔ソビエト〕支配権力は、教育、および国に入ってくるすべての情報にたいするコントロール、そして近代的、技術的な宣伝方法を広範に利用し独占することによって、ソビエト国民にたいして、支配層のエリートが要求するものを自発的に信仰するように教え込んだり、条件づけたりすることが可能になった」。まずこうのべたあとで、シャピーロ教授は結論した。「にもかかわらず、五〇余年間におよぶ〔ソビエト体制の〕経験がしめしているのは、これらの方法のうちのどれひとつも、またそれら全部を合計しても、人間性を完全に支配することができないでいるという現実である」。

人間、この複雑なるもの

この本の著者である私自身は、ソビエト時代につぎのような結論に達していた。

まず一方で、西側諸国へ亡命してきた一部の元ソ連人たちが往々にしてのべたがるように、当時のソ連市民たちを一九世紀のロシア人と「まったく同じ生き物」（レオニード・ウラジーミロフ『素顔のロシア人』）であるかのようにみなすのは、おそらく間違っていよう。そのような見方は、第二次世界大戦後の日本人が、幕末、あるいは明治初期の日本人からまったく変わっていないと主張するようなものだからである。もとより、ソビエト期のロシア人が帝政ロシア期からの歴史的遺産を受け継いでいたことは、ある程度まで確かな事実だった。とはいえ、現代における思想、機械、技術、社会……等々における激動が、人格形成にあたえる影響や衝撃をまったく無視ないし軽視するのは、いかがなものか。この意味で、私は、『モスクワゆきの旅券』（一九五四年）の著者、ミシェル・ゴルデーがのべているつぎの言葉に賛同したい。すなわち、ロシア生まれで、フランスに帰化しクロード・ブランシャール賞も受けた元モスクワ特派員のゴルデーは、記した。「今日の若いソビエト市民、つまり共産主義体制の下で成長した男女が、ドストエフスキイの描いたキャラクターとまったく同じであるとみなすのは、ナンセンスだろう」（福永英二／上原和夫訳）。

しかし他方で、私は考える。〝新しい（ソビエト的）人間〟が発生したようにはとうてい思いがたい。むしろ革命前のロシア人と革命後のソビエト人とのあいだには数多くの連続性が存在するからである。私がそのように判断する理由を記すならば、それは以下の通りだった。

まず、一般に人間の精神というものが、人間の考えつくいかなる思想、制度、機械、芸術その他すべてのものよりも、はるかに複雑な存在であると考えるからである。一言でいって、「人間――この複雑なるもの！」――これが、私の考えの根幹に根強く存在する。〝新しい人間〟の創造は、工場の国有化、ダムや発電所の建設、農業の集団化のように簡単、スムースにゆく作業や工程ではない。そのようなことが簡単におこなわれると考えること自体、人間性や神を恐れぬ傲慢な無教養ぶりを暴露しているだろう。

この種の無教養に遂に堪えきれずに祖国を捨てる決心をした数多くのソ連人のなかに、スベトラーナ・アリルーエワがいる。スターリンの実の娘である。彼女は一九六七年、ことあろうに父親が宿敵とみなしていた米国へ亡命し、センセーションを巻き起こした。彼女が亡命前にソ連国内で書きつづけた著書『友への二〇の手紙』のなかで、スベトラーナは記している。「恐ろしいのは、無教養なのだ。恐ろしいのは、今日すでにすべてが達成され、あとは鉄が五倍、卵が三倍、牛乳が四倍になりさえすれば、その日にも、この迷える人類が夢見てきた地上の天国が出現するかのように考える、その無教養なのだ」（江川卓訳）。

フルシチョフ党第一書記ですら、まんざらこのようなことに気がついていないわけではなかったようだ。第二二回党大会での演説中で、フルシチョフは、さきに引用済みの箇所と並んで、つぎのようにのべた。「新しい人間の教育には、大きな努力、賢明な態度が必要である。なにしろ、生きた人間が対象だからである。人間にあっては、すべてが互いにうまく結びついている。しかし、これは機械の部品のあいだにあるような相互関係ではない。その関係は、はるかにずっと複雑である」。

私がのべたい第二の理由は、歴史的な重みとでも呼ぶべきものである。一般に、人間の心理や習性は、本来、自然発生的に長い時間をかけて、徐々に形成されてゆく。逆に、いったん人格に取り込まれたイメージや習慣は、そう簡単に壊されたり、取り除かれたりするものではない。ロシア史が過去数世紀の星霜を通じてロシア人の精神に捺してきた刻印は、たとえいかに強力かつ集中的なものだったとはいえ、時間にするとわずか七〇年間のソビエト体制によって一挙に風化するような生やさしい代物ではなかったろう。

たとえば、さきに紹介したゴルデーも、この点を強調して記した。「ソ連文学が、〝天才スターリン〟の保護下に新しいタイプの人間性の到来をいかに熱心に説いても、それは無駄である。つまり、ソビエト体制は三四年かかっても、数世紀にわたって蓄積され固められたロシア的心理をペン先で抹消しえないでいる」。たしかに、この言葉は、実はスターリン在世中の一九五二年に書かれた文章だった。とはいえ、その後何らかの変更を加えるべきものであるようには思いがたい。

エリートは〝ソビエト的〟、大衆は〝ロシア的〟

私の見解は、ソ連人を、帝政時代のロシア人とまったく同種とも、まったく別種の人間ともみなさない見方である。大変歯切れの悪い結論だが、なにしろ人間についてのべていることことであり、やむをえない。

歯切れの悪い以上のことがある。では、「ロシア的」、「ソビエト的」両要素の混じり具合はどうか？　もしこのように尋ねられるとしたら、私は答ええない。もっとも率直にいうならば、この種の問いに答えることは最初から不可能に近い。〝新しい（ソビエト）人間〟の研究にかんして西側で第一人者と目されているジョージ・カウンツですら、「ソビエト独裁がつづくかぎり、ソビエト的人間が、実際、どの程度までつくり出されているか。誰も知りえない」。こう正直に告白していた。

強いていうならば、つぎのようなことはいいうるかもしれない。「ロシア的」、「ソビエト的」両要素の混じり具合は、ソ連社会を構成しているグループや階層ごとに異なっていた、と。つまり、ソ連社会のエリート層では、体制による意識的な「ソビエト」化の努力が、自然発生的な「ロシア的」なのこりかすにかなりの程度にまで打ち勝った。逆に、そのような人々だからこそ、ソ連社会のエリートに出世しえたといえるだろう。彼らは共産主義が元来めざしたような人間では必ずしもなかったかもしれないが、ソビエト政権にとっては望ましいタイプの人間だった。そしてそのような意味では〝新しい（ソビエト）人間〟だった。

他方、大衆レベルでは、ソビエト体制側の人工的な努力が自然発生的な惰性の力に打ち勝ちえないでいたために、「ロシア的」要素が根強く生き残った。逆にまた、故意によるものか、怠慢によるものか——その理由を別にして、体制の望むような「ソビエト的」価値や道徳要件を自分のなかに必ずしも積極的に採り入れようとしなかったり、採り入れることができなかった人々が、数多く存在した。ソビエト体制下でそのような人間はエリートへ出世しえず、その他大勢にとどまった。このように結論しうるかもしれない。

第8章　労働

資源依存症で働くことは大嫌い

私は、経済学者でもなければ、ロシア経済の専門家でもない。そのような分野ではずぶの素人である。それゆえ、ロシア経済体制の特徴について語るのは当然のことながらその道の専門家たちの手にゆだねたい。ただ、ロシア状況一般について関心を抱くひとりとして、〝経済〟分野では本書でこれまで採ってきた観点からどうしても気づかざるをえないことがある。それは、ロシア人がおこなう経済活動においても、帝政、ソビエト体制、現プーチン体制の差を超えてさほど変わらず連続する側面があることだ。そのような点を、以下、三つ四つ取り上げて論じてみよう。

人間と労働

人間の活動は、政治、経済、文化……等の多岐にわたる。そのなかでも経済活動は、もっとも大事なもののひとつに違いない。モノを生産、交換、消費することなしには、生身の肉体をもつ動物としての人間はとうてい生存していけないからである。生活の糧（かて）をうるための活動を労働（レイバー）と呼び、文化、芸術活動などを含む広い意味の仕事（ワーク）と区別することも可能だろう。

ともあれ、労働は人間が生きてゆくために不可欠であり、人間が存在するかぎり人間に伴う必要不可欠な活動とみなしうる。とくに、労働価値説という経済学の立場に立つマルクス主義者たちにとって、労働はとりわけ肝要である。彼らは他の思想的立場をとるいかなる者たちにもまして、労働が人間にあたえる重要性を強調する。たとえば、カール・マルクスの協力者のフリードリッヒ・エンゲルスは、著書『猿が人間になるについて』のなかで記す。「労働は、人間生活全体の第一の基本条件である。しかも、ある意味においては労働が人間そのものをつくり出した」、と。ここに表われているのは、極端にいうと労働は人間をして人間たらしめるもっとも大事な契機に他ならないとの考え方である。労働＝（イコール）人間。まるでこういわんばかりに労働を重視している。

新しい労働観が〝新しい人間〟のしるし

このことを、前章「連続」で論じた〝新しい人間〟づくりの問題と関連させると、一体どうなるのだろうか？　前章で、私はのべた。ソビエト時代になってから〝新しい人間〟が生まれているかどうかと尋ねられても、簡単に答えられるような問いではない。というのも、ひとつには、〝人間――この複雑なるもの〟を構成し、判断するポイントは多種多様にわたるからである、と。そして、たとえば一九六一年発表の『ソ連邦共産党綱領』ひとつを例にとってみても、〝新しい（ソビエト的）人間〟の構成要件として政治、経済、文化……等々の要因をあげているものの、これら各々の要件について、ひとつひとつ検討してゆくのは大変な作業であるとのべた。ところが幸いなことに、ここにひとつ、まことに便利な方法が見つかったわけである。なぜならば、ソビエト指導者たち自身が、マルクス主義の立場から「労働」という要因を重視していることが分かったからだ。また、この後、徐々に紹介してゆくように、事実、そうなのである。ソ連時代の指導者たちは、新しい「労働」姿勢が誕生したかどうかをもって、新しい「人間」が誕生したか否かを決定するもっとも重要なチェック・ポイントとみなす方針を隠そうとしなかったからである。

大事なことなので、根拠を引いてはっきり確認しておこう。マルクス主義のもっとも重要な文献といわれる『ゴータ綱領批判』のなかに、共産主義の定義をおこなった有名な箇所がある。そこで、マルクスはみなした。「労働」が共産主義的となったとき、より具体的にいうと「生命の第一欲求」となったときをもって、共産主義的「人間」がつくられた時点とみなす、と。ボリシェビキ革命の指導者たちは、マルクス主義の始祖が説いたこのような考え方を忠実に踏襲した。まずレーニンは、この先輩の考え方を著書『国家と革命』のなかで全面的に支持した。スターリン時代の考え方も、このラインから一歩もはずれていなかった。スターリン権力が確立した一九四二年に発行された『社会科学』というテキスト・ブックを開くと、つぎのように明瞭に記されている。「新しい人間、すなわち共産主義社会のメンバーの基本的な特徴は、労働にたいする新しい態度、労働にたいする共産主義的態度である」。フルシチョフ時代に発表された『ソ連邦共産党綱領』も、共産主義建設者の道徳原理全一二項目のひとつとして「社会の福祉をめざす自発的な労働」をあげ、それを〝期待される共産主義的人間像〟に要求される倫理のなかでもっとも特徴的なひとつとみなした。たとえばドイツのマルクス主義者、ヘルベルト・マルクーゼの解釈も、そうだった。マルクーゼはのべた。「〝共産主義倫理を強化する〟ために考案された勧めのなかでもっとも代表的なもののひとつは、もっぱら労働倫理に集中している」。

以上の諸引用から、ソビエトの理論的立場が、「人間」活動のなかで「労働」をいかに重視しているか――このことが、十分明らかになっただろう。そこで、われわれも、共産主義的ないしソビエト的な〝新しい「人間」〟が、旧ソ連に生まれていたか否かを判断する手っとり早い方法として、ソ連人に〝新しい「労働」〟観が生まれ、育っていたか、否かたといえよう。
──この点を、主としてチェックすれば済むことになる。これで、仕事は随分、簡単になっ

人間の労働観は簡単に変化するのか

では、ソビエト期に〝新しい「労働」〟倫理が誕生した。こういって果たして差し支えないのだろうか？　これは、いろいろな答え方ができる質問である。まず、ソビエト体制側の公式的見解はのべた。ロシアでは革命によってソビエト政権が成立したのだから、ソビエト市民には、新しい労働観が当然生まれるべきであり、実際また生まれたに違いない。こう確信して、以下のように説明した。

ソビエト式公式理論は、さきにものべたように弁証法と史的唯物論に従って物事をつぎのように考える。経済の下部構造、とくに生産手段の所有主が変わることによって、人間の意識一般が変わってくる。ソビエト革命の結果、人民による社会的所有の制度が確立したのだから、この重大な変化に伴い、人民の労働倫理も変わってくるはずである。第一に、労働の性格が変わった。革命前は、他人、すなわち資本家、地主といった搾取階級のためにおこなう労働だった。だが、いまや人々はソビエト体制下において搾取から解放され、「自分のための労働」（レーニン）、すなわち人間的、社会的な労働にいそしむことになった。第二に、このような労働の性格の変化は、当然、人民の考え方や態度に変化をもたらした。いまやソ

ビエト人民は、社会にたいする己の義務を理解し、生産にかんして積極的な態度をとるようになっている。

このようにしてソビエト式公式理論が説いたのは、「労働する人民の王国」であるソビエト社会において、労働は資本主義体制下の労働とは「質的に異なる」性格を獲得し、「まったく新しい共産主義的な」態度がつくり上げられてゆく客観的必然性をもつ、と。

しかし、私の意見によると、右のようなソビエト式説明は、労働倫理を変えるファクターとして経済的、社会的な要素を過大評価する過ちを犯している。人間の労働観は、それほど簡単かつ速やかに変化する類いのものではない。人間の勤労倫理は、すぐこの後にひきつづきのべるように、地理、歴史、民族、宗教、社会、経済……等々、実に数多くの諸要因が複雑に絡みあった総決算として生まれる。たとえいかに重要なものとはいえ、そのうちの一つ二つの要件、たとえば生産手段の所有性の変化によってごく短時間で変わるような生やさしい代物なのではない。ロシア人が長年にわたってつちかってきたイージー・ゴーイングな勤労態度(いわゆる〝オブローモフ気質〟)の根深さについて、まず説明しよう。

労働観は民族によって異なる

「労働」をどう考えるか。そもそもこのいわば人生の根本的問題にかんして、百人百様の答え方がありうるだろう。「休息」こそが人生。このように考える者にとって、「労働」とは人生の至上目的たる「休息」を妨げる悪である。したがって、労働から逃れれば逃れるほど、楽しい人生を送れることとなろう。ところが、正反対の考え方もありうるだろう。すなわち「労働」こそが、人間のあるべき姿。こう考える者にとっては、「休息」は例外的活動、つまりつぎのより激しい「労働」のために止むをえずおこなう休止期の準備行為となろう。――以上二つのタイプは、たしかに極論である。この両極端のあいだに、ニュアンスの違いのある中間的な考え方がありえよう。各人の労働にたいする見方や態度は千差万別で、結局、各個人の人生観の違いと関連している。労働観のこのような多様性や個人差を百も承知したうえで、なおかつ思い切って単純に分類するとつぎのようなことを言いうるのではないか。

　まず、歴史的発展にかんして。古代において、労働はできることならば避けたい災難とみなされた。労働は奴隷のおこなう賤しい行為とみなされた。中世になっても、労働はいぜんとして軽蔑の目で眺められた。それは、神の教えに背いた原罪にたいする懲罰として人間がおこなわねばならない労苦と考えられた。ところが近代になると、様子が少し変わってくる。労働に積極的な価値を見出そうとする試みがなされるようになったからである。たとえばプロテスタンティズムの教えは、労働を神への奉仕行為とみなす再定義を試みた。ジョン・ロック、アダム・スミス、カール・マルクスなどの近代思想家たちも、労働をすべての財産や価値の源泉であるとみなし、労働に積極的な価値をあたえようとした。労働を蔑視する消極的態度から、積極的に評価する方向への変化――。これは、歴史の一般的趨勢でさえあるとみなして差し支えないのではなかろうか。

つぎに、地理的な違いにかんして。西欧世界を大きく二分して、極論しよう。ドイツ、イギリス、アメリカ、北欧諸国などプロテスタントの多い諸国では、労働をすべての生産性の源泉として高く積極的に評価する傾向が強い。他方、フランス、イタリア、スペイン等のカトリックの盛んなラテン民族諸国では、自己の内面世界における心の充実や安定を何よりも重要視しようとし、そのための休息や安静の追求を人間本来の姿とみなす。逆に、富に執着し、思いわずらい、労働にあくせく没頭する姿を軽蔑する。このような風潮が、相対的にいってより支配的のように見受けられる。

では、われわれの関心対象たるロシア人はどうか？ ロシア人は、後者のグループに入る。これが、私の見方である。ロシアでは、すでにのべたようにビザンティン文化の影響下にギリシア正教を取り入れた。その後のロシアではプロテスタンティズムの運動の影響や洗礼を受けなかったために、どちらかというとカトリック教徒の多い南欧諸国の人々の労働観に不思議に似かよった人生観が生まれた様子である。つまり、ロシア人は、イタリア人、スペイン人、フランス人らと同じく、できることならば労働を避け、長いバカンスをとり、労働以外の人間活動に時間とエネルギーを割こうとする。このような傾向がより強いように感じられる。

このようなロシア人の労働観は、ロシア社会を映した鏡ともいうべき文学作品のなかに、しばしば見出される。たとえば、文豪ツルゲーネフは、『田舎における一か月』（一八八五年）という戯曲のなかで、作中人物のひとりをしてつぎのように語らしめている。「不思議なことである。ロシアの農民は、知的で、物事をすばやく十分に理解できるが、これが何の役にもたっていないのだ。なんといったらよいか、彼らには、労働にたいする愛情が存在しないのだ」（『ツルゲーネフ全集』、ロシア語版第三巻。傍点、木村）。

“オブローモフ”気質はロシアの国民性

労働を嫌うロシア気質をあますことなく描いた文学作品としては、イワン・ゴンチャローフの『オブローモフ』（一八五九年）以上のものはないと思われる。この作品は、ロシア文学の傑作中の傑作であるばかりでなく、主人公オブローモフの懶惰（らんだ）ぶりを徹底的に描いたために、一躍有名となった小説である。主人公の怠けぶりがあまりにも徹底していたために、“オブローモフ気質”という言葉まで生み出した。要点だけ、簡単に紹介しよう。

オブローモフは、一日中ベッドと長椅子に寝そべり、日本風にいうと「タテのものをヨコにもしない」怠け者である。幸い地主の家庭に生まれたので働く必要はないのであるが、年貢をとりたてるために必要な手紙すら書こうとしない。彼とは対照的な性格のドイツ系のアンドレイ・シュトルツという親友の忠告にたいして、オブローモフはぶつぶつ反論する。

「アンドレイときたら、年じゅう“働け、働け、馬のように働け”って、そればかり考えているんだ。何のために働けというんだろう」（井上満訳、以下同じ）。

当時のロシア社会でオブローモフのような労働観は、決して例外的ではなかった。少なくとも作者は、そのように考えていない。このことが、重要である。まず、オブローモフの育った領地オブローモフカ村では、オブローモフのような地主の旦那ばかりでなく、すべての住民が「労働」を病気や争いごとと同じようにみなした。すなわち、「安静と無為の理想的な生活を時々破壊する不愉快な出来事のひとつ」とみなす考え方の持ち主だった。作者ゴンチャローフは書く。「彼らは、労働というものを、すでに遠い祖先の時代からわれわれに課せられた刑罰であるとして堪え忍びはしたが、これを愛することはできなかった。そして、機会さえあれば、これを免れようとした。しかも、そうすることが可能であり、義務であると考えていたのである」。

労働を人生の本来の目的から逸脱した行為とみなす考え方は、なにもオブローモフカ村にかぎっての特殊現象ではなかった。それは、一田園地方の範囲を越えて、当時、ロシア人一般により広く通じる生活態度だった。『オブローモフ気質とは何か』という評論を書いて一躍有名となった評論家、ニコライ・ドブロリューボフは解説している。「オブローモフカ村は、われわれの直接のふるさとであり、われわれすべてのなかには、多分にオブローモフ的な要素がひそんでいる」、と。ドブロリューボフは、結論としてオブローモフを「われわれの、根源的な、民族的タイプ」（傍点、木村）とさえみなした。

ドイツ型とコントラスト

『オブローモフ』の作者ゴンチャローフは、オブローモフ気質がロシア人の国民的性格であることを強調するために、シュトルツという青年を重要な脇役として登場させている。シュトルツは、名前からも明らかなようにドイツ系の父親をもち、ドイツ人以上にドイツ的勤勉さの持ち主である。オブローモフが「［君は］何のために一生苦しむんだい」と尋ねると、シュトルツは明快に答える。「労働そのもののためだ。そのほかの何のためでもありゃしないよ。労働は生活の形態であり、内容であり、根元であり、目的であるんだ。少なくとも僕の生活ではそうなんだ」。

このようにゴンチャローフは、オブローモフvsシュトルツの対立をきわだたせる。前者は安寧と休息志向の「ロシア人」の象徴、後者は進歩と業績中心の「ドイツ人」の権化である。この対立図式があまりにも極端すぎるので、文学の質が若干落ちているという批評がなされているくらいである。ともあれ、ゴンチャローフがそれほどまでにして言いたかったことは、結局、何か。将来のロシアにおいては、オブローモフのようなタイプが滅び、シュトルツ型が育つべきこと――このことだった。著者は、この価値判断を、女主人公オリガをして、無気力なオブローモフを捨てて、行動的なシュトルツを夫として選ばせる行為によってしめした。さらに、ゴンチャローフはシュトルツの口を借りて叫ぶ。「さようなら、オブローモフカ村よ！　おまえの時代はもう過ぎてしまったのだ！」。評論家ドブロリューボフの名づける「オブローモフ主義を葬る弔辞」をこうのべた後、ゴンチャローフはつづけて書いた。将来、「ロシア式の名をもったどれほど多くのシュトルツが出現しなければならないことか」。

ロシア人も「働くようになる」と楽観

その後のロシア史をふりかえってみると、われわれは、作家ゴンチャローフよりも、批評家ドブロリューボフのほうがはるかにより一層リアリスティックな予言者だったことが分かる。ドブロリューボフは、当時、つぎのようにものべていたからだった。ロシアにおいて「いまのところシュトルツ・タイプが現われるための素地はない」。「われわれは未だ相変わらずオブローモフなのである」から、「生きている者にたいして、弔詳をのべてはいけない」。

とはいうものの、実はゴンチャローフとドフロリューボフの差は、さして大きくなかった。やがては大きな嵐が到来して、ロシア人といえども働かなければ済まなくなる時代がロシアに訪れることが、ドブロリューボフを含む当時ロシアの知識人一般に予測されていたからであった。社会的変化が人間にあたえる力にかんしては、一般的に、きわめて控え目で懐疑的な意見をもっていたアントン・チェーホフですら、そのような時代がロシアに将来訪れることを漠然と予期していた節がある。チェーホフは、『三人姉妹』（一九〇〇年）のなかの登場人物トゥーゼンバフにつぎのように語らせているのだ。

「僕は生れてこの方、一度だって働いたことがない。（中略）
今や時代は移って、われわれ皆の上に、どえらいうねりが迫りつつあります。たくましい、はげしい嵐が盛りあがって、もうすぐそこまで来ている。まもなくそれは、われわれの社会から、怠慢や、無関心や、勤労への色めがねや、くされきった倦怠だのを、一掃してくれるでしょう。
僕は働きますよ。あと二五年か三〇年もしたら、人間はみんな働くようになりますよ。一人のこらずね！」（神西清訳）

ソビエト時代の「勤労者天国」で働かず

時代は移り、ソビエト時代になった。では、ドブロリューボフによって古いロシア社会の病気とみなされた〝オブローモフ気質〟は、その後の「別な生活条件のもとにおいて」（ドブロリューボフ）、果たして克服されたのだろうか？　もうひとりの文豪、チェーホフの予言は、的中しただろうか？　答えは、「ノー（否）」だった。これらの文学者たちの期待を裏切る類いの報告ばかりだといってよい。このことを、レーニン、スターリン、フルシチョフ、ブレジネフの各時期の報告について、簡単にみることにしよう。

まずボリシェビキ革命が成功した直後のレーニン期（一九一七～二四年）は、どうだったのか？　この六年余は、革命への情熱がもっとも高揚していた時期だった。人々は、理想に燃え、革命の大義のために無償の労働すら捧げたいと願っていた。にもかかわらず、そういった殊勝な人々は、数の上ではあくまで例外的少数者だった。一部の人々の心情や行動が誇張されただけの話であって、人口の圧倒的大部分の農民たちは相変わらず〝オブローモフ気質〟の人間にとどまっていた。

レーニン自身、革命後も〝オブローモフ気質〟が未だ克服されずに、ソビエト国民間に根強く残存している事実を認めながら、この世を去った。死の二年前に書かれたつぎの文章中に、そのようなレーニンの認識が明確に表われている。

「昔は、ロシア生活のこうした型、すなわちオブローモフがあった。彼は終日、寝台に寝そべって、計画を立てていた。

あのころからは多くの時がたっている。ロシアは三つの革命をやりとげたが、しかし、オブローモフのような人間はまだのこっている。なぜなら、オブローモフは、地主だったばかりでなく、農民でもあるし、農民であるだけではなく、インテリゲンツィアでもあるし、インテリゲンツィアであるだけではなく、労働者や共産主義者でもあるからである。

われわれを一目見るだけで、われわれが会議をどうひらき、委員会でどう活動しているかを見るだけで、古いオブローモフがのこっていたぞ、いくらか役にたつようにするには、彼を長い間あらったり、きよめたり、ひっぱったり、たたいたりしなければなるまい、といいたくなる。

これについてわれわれは、すこしの幻想もまじえないで、自分の状態をながめなければならない」（傍点、原文通り。大月書店『レーニン全集』第三三巻）

なぜスタハーノフ運動が必要だったのか？

つぎに、スターリン時代（一九二四〜五三年）。スターリン自身、ソビエト革命から一〇年近く経過した段階の一九二六年になっても、つぎのごとく慨嘆せざるをえなかった。「怠惰のおかげで、数万、数十万の労働日が、工業にとって失われている。数十万、数百万ルーブルが、そのためになくなり、わが産業に損失をあたえている」。そこで、スターリンは、提案した。「われわれに必要なことは、各種の工場で怠惰を一掃し、労働生産性をたかめ、わが企業における労働規律を強化するために、キャンペーンをおこなうことである」（大月書店『スターリン全集』第八巻）。

それから、一〇年たった。だが、事態は一向に好転しなかった。フランスの文豪アンドレ・ジイドの『ソビエト旅行記』（一九三六年）は、ソビエト体制に好意的な惚れ込みをしたことであまりにも有名となったルポルタージュである。そのために、ジイドは、後に『修正』を書かねばならなかったほどだった。そのジイドですら、しかも修正版でなく、初版のなかでソビエト労働者の勤労意欲にかんしては、つぎのように呆れかえっている。「ソビエトでは、労働者を少しでも放っておくと、その十中八、九まではみな怠け者になってしまう」。「かくて大衆の惰性と無気力は、スターリンが解決せねばならぬ最も重大かつ切実な問題となる」（小松清訳）。

スターリン時代の労働生産性キャンペーンとして、「スタハーノフ運動」と名づけられる有名な運動があった。一九三五年、アレクセイ・スタハーノフという一炭坑夫が、あたえられたノルマ（仕事量）を超える労働生産性を自発的にあげたことに着目し、全国の労働者にたいして彼に見習い増産に努めよと要請した社会主義的競争である。では、なぜ当時のソ連で、そもそもスタハーノフが有名になり一躍して英雄となったのか？　端的にいって、それ以外の労働者の勤労意欲および成績があまりにも低かったからである。少なくともジイドはそう考えて、記した。「およそ労働者が働く国においては不要と考えられるスタハーノフ運動や賃金格差制度がスターリンによって再設定されねばならぬ理由は、畢竟（ひっきょう）、大衆の惰性と無気力にある」。

フルシチョフ期のソ連の観察記としては、英国人ライト・ミラーの著書『国民としてのロシア人』（一九六一年）が優れている。ミラーの意見では、「一定の職場に落ちつかない習癖、無責任な就労態度、散慢な労働の習慣等」は、なにもロシアの専売特許なのではない。このような現象は、一九世紀初めのイギリスにもあった。とはいうものの、ミラーも結局はロシアの特殊性に行き着く。イギリス、その他の国々では、右にのべたような習癖が次第次第に克服されていった。それにたいしてロシアでは、これらの習慣がいつまでたっても克服されることなく、存在しつづけている。この点にこそ、ロシアの特殊性が存在する。ミラーは、こう結論する。

どっこい、オブローモフは生きている

ブレジネフ期では、どうか。ブレジネフ期のソ連人の勤労態度にかんしては、ソ連軍がチェコスロバキアに侵入した一九六八年に出版された『モスクワからのメッセージ』が、最良の参考書になる。この本は、著者が当時まだモスクワ滞在中の人物だったために最初匿名によって発表され、その内容の素晴らしさに驚き全世界が著者探しに躍起になった。こういういわく付きのルポルタージュだった。現在では、ハーバード、コロンビア両大学で学んだあとソ連に赴き、ロシア研究にとりつかれ、ロシア婦人と結婚したフリー・ランサーの記者、ジョージ・ファイファーが著者であることが、判明している。

ファイファーの書き出しは、辛辣だ。「いつの日か、私は、どうしてロシア人がこうも働かないのか――このことについて論文を書こうと思っている」。その理由として、ファイファーは、現ソ連人の勤労態度がつぎのようなものだからと記す。「私は、かって仕事にたいするこのような消極的な態度、あるいはこのように不承不承の仕事ぶりをみたことがない。私の知っているロシア人のうち誰一人として、良心的に仕事をやりとげようとする衝動に駆られていない。気分が向かないときは仕事をしようなどと思いもしない。仕事のペースは、

私が以前見た誰にくらべてものろい。仕事にたいする熱意などをとやかくいうのは、まったくもってお門違いである。最小限働くことが、目的になっている」。

このようにしてファイファーの結論は、単純明快になる。ソビエト時代になってからの「西欧的な勤勉の習慣や生産方法を教え込もうとする共産主義者の努力」は、まったく功を奏しなかった。「一九世紀のロシアの小説家が、その解明に重要な鍵をあたえる」ロシア人の性格が、ソ連人にも見事引き継がれているからだ。すなわち、「伝統的な遅鈍と愚図」が依然としてソ連人の勤労観を形成している、と。

この本の著者たる私も、二年間（一九七三～七五年）にわたりソ連に滞在して、ファイファー記者とまったく同様の観察と印象を抱いた。私が接触したたいていのロシア人たちは、労働観にかんするかぎり〝オブローモフ〟タイプの人間だった。その労働態度は、日本人はいうまでもなく、私がかなり長期滞在したことのある米国、ドイツ、オーストリア、中国、韓国の諸国民の勤労態度とはまったく対照的なものだった。

新生ロシア期の「ニューリッチ」

ゴルバチョフ、エリツィン、プーチン政権期になると、市場経済への移行が公認されるばかりか、積極的に奨励されるようにさえなった。国有企業の部分的民営化、ついで全面的な民営化、その他の諸改革によって、その方向への転換がなされた。このようないわば経済体制の変化によって、ロシア人の価値観もまた様変わりした。これは、何人も否定しえない事実である。そこで、重要な問いが提起される。このような新生ロシアの発足によって、私が右に長々と説明してきたようなロシアの伝統的な労働観は西欧資本主義諸国でみられる勤労態度へと変貌をとげたのだろうか。答えは、必ずしも「イエス」ではない。とりわけ、〈富の蓄積は地道な努力の結晶としてはじめて得られる〉――このような考え方が、遂にロシア国民間に広く普及し、定着したとは、とうてい評しがたいのだ。

「社会主義」的な統制経済から、市場経済への体制移行――このことによって、ロシア社会に物質的刺激が生まれ、企業家精神の育成が促進されつつある。これは、ある程度までは間違いない事実だろう。目先がきく一部のロシア人たちは、資本主義的な経営手法が許されるようになった移行期のどさくさ紛れを利用して、たとえば創業者利得を入手したり、合法、非合法すれすれの活動に従事することに懸命になった。彼らのある者は、『フォーブス』誌の億万長者リストの常連になりさえする経済的な大成功を収めた。だが、注意すべきことがある。一般に「オリガルヒ」(新興寡占財閥)と呼ばれる彼らのすべてが、必ずしも額に汗し、手に豆をつくる類いの地道な労働にいそしんだ結果として、巨万の富をつかんだわけではない事実である。

ひとつには、経済体制の転換が、上からの一方的な指令によって急激になされたからだった。そのために、種々様々な弊害や歪みが発生し、伴った。民営化は、その好例だろう。国営企業や国有財産が民営化されたとき、ロシア国民大衆の側には残念ながらそれを引き受ける準備、とりわけ経営的能力や財政的資力がまったく備わっていなかった。結果として、元共産党幹部、ノーメンクラツーラ（ソ連期の特権階級）、「赤い支配人」とあだ名されるソビエト期からの企業幹部、そして彼らとコネをもつ者たちが、そのチャンスを利用し一方的な利得にあずかることになった。

彼らは、「袖の下」の賄賂を用いるなどの不正行為によって、国有財産をまるでタダ同然の格安価格で譲り受けることに成功した。国有財産の「プリバチザーチヤ（民営化）」が、実際は「プリフバチザーチヤ（略奪化）」だったといわれる理由である。また、価格の自由化をよしとして、資源や製品を倉庫にしまい込んで貯蔵し、値段が上がるのをただ待つだけで、巨万の利潤を手に入れる者も現われた。あるいは、税関制度の未整備の間隙を縫って、外国製品を税金を納入せずに密輸入同然の形でロシア国内に持ち込み、ボロ儲けする不逞（ふてい）の輩も現われた。

「ニューリッチ」の誤解

このようにして登場したロシアの「ニューリッチ（新富裕層）」は、「オリガルヒ」と呼ばれる経済・社会層を形成した。彼らの一部——ユダヤ系の者が多かった——が、ワーカホリックとみなして差し支えないほどの働き蜂であったことは、たしかである。彼らはまた、おそらくロシア型資本主義が今後歩むであろう方向性をいち早く敏感に察知し、それを先取りする商才にも長けていた。だが、これらの美点だけがロシアの「ニューリッチ」や「オリガルヒ」の特徴ではなかった。彼らは、政治権力者たち（たとえば、エリツィン、プーチン、メドベージェフ）と癒着することにいささかも逡巡しないどころか、彼らとのコネを己のビジネスに積極的に利用して、競争相手にたいしてより有利な立場に立とうとさえ試みる。端的にいうと彼らは、ビジネスマンというよりも〝政商〟と呼ばれるにふさわしい役割を演じることによって、みずからの経済的成功を勝ちとろうとする傾向が顕著なのである。

ロシアの「ニューリッチ」や「オリガルヒ」は、地道な勤労に拠って立つ市場経済とは正反対の経済（カウンター・エコノミー）とみなしてよい営利活動に携わることにすら、躊躇しない。真面目な努力を積み重ねる正攻法の代わりに、カンニング・ペーパーを用いたり、裏口入学を図ろうとしたりするずる賢い学生。彼らの態度にたとえられても仕方ない商業モラルの持ち主すら、少なくない。結果としてロシアに生まれた資本主義は、つぎのように否定的な修飾語をつけたあだ名で呼ばれる歪な形のものになった。「略奪ないし盗賊資本主義」、「寄生虫資本主義」、「寡占財閥資本主義」……等々。

市場経済すなわち資本主義の理解にかんして、現ロシア人には最初から間違った「刷り込み」がなされてしまった――。袴田茂樹教授（新潟県立大学、ロシア政治）は、このように説く。卓見といえよう。彼らはまず、ソ連期に共産主義イデオロギーによって資本主義とは略奪的な搾取のシステムだと徹底的に教え込まれた。また、具合の悪いことに、西側先進国でも一九八〇年代末頃からマネー・ゲームが全盛時代を迎えようとしていた。そのことも手伝ってロシアが一九九〇年代に市場経済システムを導入したとき、多くのロシア人は市場経済イコール「投機的なあるいはギャンブル的なマネー・ゲーム」と誤解するもとになった。加えて、ロシアでは対外的信用のレベルが低く、投機環境が劣悪だった。そのために、資金が生産投資へ向かわず、その代わりにハイリスク・ハイリターンの金融投機、高利率の短期国債、不動産投機、その他高利益の商業部門へと向かった。――これら、その他の理由や事情のゆえに、袴田教授によるとロシア人のあいだでは「地道な生産活動で汗を流してわずかな利益を得るのはバカだという風潮が広がった」。

〝オランダ病〟症候群

こつこつ几帳面に働くことは、馬鹿。ロシア人がこう考えがちな、もうひとつの理由がある。それは、ロシアが世界一、二の有資源国であること。天然エネルギー資源に恵まれた国の住民は、ややもすると同資源の国際価格が高騰するときに入手する「レント（余剰利益）」に安住してしまいがちなのである。

「レント」（ロシア語では「レンタ」）とは、通常の競争市場で受け取る水準を超える所得の意味。たとえば、地主や家主が己の土地、家屋、その他の不動産収入から入手する余剰利益を指す。希少な天然資源の所有者が、同資源の国際価格が高騰するときに得る過剰利益も、そうである。有資源国の住人たちは、たとえば一九九〇年代末から二〇〇八年頃までのロシアがそうであったように原油価格が急上昇すると、そのレントに依存して左団扇（ひだりうちわ）の生活に満足して、みずからが額に汗し手にマメをつくる苦労を怠りがちになる。結果として、彼らは真面目な労働意欲を減退させるのだ。

一枚の銅貨の表裏のように、同一のものが「もろ刃の剣」の機能を果たすことは珍しくない。エネルギー資源の保有にかんしても、このことが当てはまる。世界有数の有資源国としての幸運に恵まれたロシア国民は、いわゆる〝オランダ病〟にかかりやすくなるからである。〝オランダ病〟とは、つぎのような現象を指す。一九六〇年代、オランダ沖合での天然ガスの発見とその輸出ブームは、オランダに莫大な現金収入や「レント」をもたらした。しかし、資源価格の高騰ブームが終息したとき、オランダの国際競争力は――とくに製造部門で――すっかり脆弱なものになっていた。深刻な経済不況すら招来した。このことから、〝オランダ病〟の危険とは、「突如として大量の天然資源を発見し、それを輸出しはじめる国」が、往々にしてかかりやすい、以下のような一連の症候群を指す。

①原材料の切り売り体質に満足しがちな安易な心理。②石油資源の取引は労働付加価値が低いにもかかわらず、地道な労働にいそしむことを軽視しがちな態度。③資源小国、日本が継続しておこなってきているような血のにじむようなサバイバル努力を、回避したいとの誘

惑。④国際的競争力をもつ国内産業を振興させようとする工夫や忍耐心の欠如。⑤政府官僚や資源関連会社の役員たちが「（資源）レント」収入をほしいままにし、私腹を肥やしがちな傾向。それを、厳しくモニターする警戒心の弛緩 。⑥経済改革のようなリスクを伴う荒療治を、一日延ばしに先送りしようとする傾向……等々。

資源の呪いは宿命か

大概の現ロシア人にたいしては、右に列挙したような〝資源の呪い〟、ないし〝オランダ病症候群〟がどうやらある程度まで当てはまる様子である。彼らは、ややもするとつぎのように考えがちだからである。ロシアは世界一、二位の天然資源の埋蔵量に恵まれた国ではないか。プーチン大統領をはじめとするエリートたちは、それから得られる「レント」収入によって豪奢かつ優雅な物質的生活をエンジョイしている。われわれ庶民も、そのような国、ロシアの住民ではないか。そのような「レント」の恩恵が回りまわって、己のもとにしたたり落ちてくる。こう期待して、何が悪かろう。つまり端的にいえば、ロシア国民一般もつぎのように考える。「おらがロシアには、未だまだ十分な量の天然資源という宝の山が眠っているはずだ。だから、少なくとも当分のあいだ、自分たちはあくせく働く必要なぞ、まったくないのだ」と。

アントン・オレフ（独立系ラジオ局『モスクワのこだま』の著名なコメンテーター）も、

つぎのような観察をしている。「このようにして、ロシアでは真の近代化と呼べる改革は容易にスタートしえないのではなかろうか。おそらくシベリアの泥沼地から原油の最後の一滴がしぼり出され、ガスの蓄えもなくなってしまう瞬間までは」。

たしかにロシアでは、ソビエト型の「社会主義」経済から市場経済への体制移行が口頭上では宣言された。だが、実質的な観点に立つ場合、そのことが果たしてどの程度まで実現されているのか。大いに疑問視される。そのような事情にプラスして、ロシアがたまたま天然資源大国であること。そして少なくとも一九九〇年代末から二〇〇八年夏の「リーマン・ショック」発生までの時期に空前の「原油ブーム」をエンジョイしたこと。これらによって、幸か不幸か、ロシア人のあいだに真面目に勤労に励もうとする態度が誕生し、一般的になっているとは、とうてい結論しがたいように思われるのだ。

もとより、すべての有資源国が〝資源の呪い〟の病に取りつかれるわけではない。だから換言すれば、必ずしも「資源＝災いの元」とみなすべきではなかろう。天然資源それ自体は、悪でも罪でも呪われた存在でもなく、中立の存在である。資源は「もろ刃の剣」、すなわち用い方次第によってどのような機能も果たす。したがって、資源をどう使うか――これは、人間の考え方、態度、制度次第でいかようにでも変わってくる。要するに、いわゆる〝資源の呪い〟は決して逃れえない宿命なのではない。

何よりも政策決定者たちの自覚が、肝要だろう。彼らみずからが資源の地質学的な知識、探査、輸出、なかんずくその機能や役割について十分な学習をおこない、決して資源一辺倒がもたらす悪弊に陥らないよう努力する。心掛け次第で、このことは十分可能なはずである。たとえば米国、カナダ、オーストラリア、スカンジナビア諸国などは資源に恵まれる一方で、決してその僥倖に甘えることなく、産業構造の多元化をはかり、国民一人当たりのGDPで世界の上位を占める経済的成功をおさめるにいたっている。

プーチノミクスの資源対策

右のような見地からみる場合、「プーチノミクス」の資源にたいする基本的な態度や政策は必ずしも適切なものであるとは評しがたい。同体制は、クリフォード・ガディ（ブルッキング研究所の上席研究員）が指摘するように、「資源依存に毒されているばかりか、豊富な資源エネルギーから得られるレント収入を正しく用いようとしていないからである」。

プーチン大統領がサンクト・ペテルブルク鉱山大学に提出し（一九九七年）、準博士（カンディダード）を得た論文のタイトルは、「市場関係形成の条件下における地域の鉱物・原料資源的基礎の再生産の戦略的計画」だった。この論文で、プーチンはつぎのように説いた。ロシアが豊富にもつエネルギー資源は、国家の独占的な管理下におかれ、その利用、処分、運用はロシア政府の厳格な統制に服さねばならない。この原則に違反する者にたいしては、行政上かつ刑事上の責任が追及され、厳しい処分対象になる、と。一言で要約すると、これは〝エネルギー資源至上主義〟の提唱といいうるだろう。果たして何と名づけようと、このような考え方が「プーチノミクス」の中核的概念のひとつになっている。

実際、プーチン政権は資源依存病に事実上蝕まれる時期になった。結果として、資源以外の諸分野、とりわけ製造業、IT産業部門で、ロシアは、欧米先進諸国にいちじるしく立ち遅れるようになった。世界経済フォーラムが毎年発表する『グローバル競争力レポート』によると、プーチン政権が発足した二〇〇〇年、ロシア経済の国際競争力は世界で第五五位を占めていた。その後、原油の国際的価格は高騰し、ロシア経済は復興と繁栄を享受する一〇年間がつづいた。それにもかかわらず――あるいは、まさにそれゆえに――、ロシア経済の国際競争力は上昇しないどころか、後退したのだった。つまり、二〇一一年時点での競争力は二〇〇〇年にくらべて八位も後退し、世界一三九か国のなかで第六三位へと転落した。BRICSのなかでも最低である（中国―二七位、インド―五一位、ブラジル―五八位）。同『レポート』は、今後ロシアがランキングを上げてゆくためには、「制度改革、金融市場の安定化、イノベーションが必要」とのコメントを付け加えている。二〇一七年になると、第四三位へと上昇したが、依然として日本―八位、中国―二八位、インド―三九位より下にランクしている。

第9章 技術
外国からの拝借思想の限界

労働を技術で補う

人間の労働に頼っているだけでは、経済の生産性を高めえない。こう悟ったロシアの政治指導者たちは、科学・技術を重用しようと考える。レーニンのように、革命の情熱（精神的刺激）に訴える時代は過ぎた。スターリンのように、テロ（物理的暴力）でロシア国民を働かせることももちろん、できない。フルシチョフがおこなおうとしたニンジン（物質的刺激）も、ロシア人相手にはあまり効き目がない。これら三代のソビエト期の指導者たちが重視したことは、人間労働の生産性向上という点で軌を一にしていた。だが、いまや発想の転換が必要なのではないか。人間労働ばかりに頼る時代は終わりを告げた。しかも、ロシアの労働市場はすでに一九六〇年代までに一〇〇〇万人の女性労働力を吸収しつくし、今後は逆立ちしても余剰労働力を生み出す余裕などが存在しない。人間の労働力というその伸びが当てにならぬものを追い求めるよりも、もっと確実なものはないか。おそらくこのような考え方にもとづいて、ソビエト期の四代目の指導者、ブレジネフ以来、科学技術を重視する政策が生まれてきた。

実際、ブレジネフは、一九七一年の第二四回党大会で宣言した。「科学技術の進歩——。これは、共産主義の物質的・技術的基盤をつくるための主要な梃子である」。ブレジネフは、ひきつづきのべた。「同志諸君、我々は、科学技術革命の成果を、社会主義経済体制の優位と有機的に結合し、社会主義固有の科学と生産の結合形態を広く発展させるという歴史的重要性をもつ課題に直面している」（傍点、原文通り）。

電子技術時代に立ち遅れ

宣言することはやさしい。要は、科学技術革命の成果をどのように「社会主義」体制のなかへ導入するか、である。ここで、ふたたび古くて新しい問題に直面することになる。その前に、ブレジネフが右のようにのべたとき、すでにソ連がいかに新しい科学技術革命の波に立ち遅れていたか。その実態について、一言説明しておく必要があろう。

たしかに、かつてのソ連は一九五七年、米国に先駆けてスプートニク（人工衛星）の打ち上げに成功した。また、石炭、鉄鋼といったいわば第一次工業化のシンボルとみなされる分野では、一九七〇年代はじめに世界第一位の座を占めるにいたった。ところが他方、自動車、プラスチック、化学製品、エレクトロニクスなどの超先進工業分野では米国、日本、EU諸国のはるか後塵を拝していた。現代は、「電子技術時代」と呼ばれる。なかでも現代文明の象徴とされるコンピューター分野でのソ連の立ち遅れと劣勢は、歴然としていた。ブレジネフ党書記長が、一九七一年のソ連共産党大会で「従来、科学技術の成果を国民経済に導入するという課題が、わが国の計画に十分反映していない」とのべたとき、ソ連のコンピューター台数は米国の一〇分の一にも達していなかった。

愛国者サハロフの警告

反体制運動のリーダーであれ、愛国者であることには変わりない。いや、まさに愛国者だからこそ、反体制運動にのめりこむのだろう。ともかく、反体制運動の闘士だった故サハロフ博士は、『党・政府指導者への手紙』のなかで、経済や科学技術分野での母国の立ち遅れを憂い、つぎのような警告を発していた。

「わが国の経済とアメリカの経済を比較してみると、わが国の経済がたんに量の面だけではなく、きわめて悲しむべきことに、質の面でも遅れをとっていることが分かる。経済のなんらかの面がより新しく革命的であればあるほど、そこにおけるアメリカとわれわれの間のギャップは大きくなっている。われわれは、採炭にかんしては、アメリカをリードしているが、石油、ガス、電子エネルギーの獲得では遅れているし、化学については十倍も遅れをとり、コンピューター技術では無限に遅れている。

最後の例は、とくに本質的だ。なぜなら、国民経済へのコンピューター導入は、生産体系と文化全体の様相を根本的に一変するのに決定的重要性をもつ現象だからである。この現象は、いみじくも第二次産業革命という呼称をもらった。(中略)第二次産業革命がはじまったのだ。そして今、今世紀の七〇年代に、われわれは、結局アメリカに追いつけぬまま、離されてゆくのを目にしているのである」(原卓也訳)

科学技術革命にたいするソ連の立ち遅れに気づき、愛国心から、この事態を放っておくとソ連が二流国に堕してゆくことを憂慮した。この点で、ブレジネフもサハロフも軌を一にしていた。もっとも、この欠陥を克服するための具体的な処方箋にかんして両者は明らかに考えを異にしていた。サハロフは考えた。「科学技術の成果の生産への導入」というスローガンやモットーをいたずらに連呼するだけでは、事態は一向に改善されぬ。「問題の解決には、経済体制のあらゆる水準に幾百万民衆が創造的に参加し、広く情報とアイデアの交換をおこなうことが要求される」。一言でいうと、「知的自由を保障すること」以外に技術改革にたいする抜本的解決策はありえない。これが、サハロフの処方箋であり、主張だった。

ブレジネフ流「デタント」の狙い

ところがサハロフ提案は、ブレジネフ指導部にとりとうてい受け入れられないアイデアだった。「知的自由」を承認して、ソ連国内に知的討論をまるで百花繚乱のように許したら、一体どうなるか。本来、合理的な科学思想というものは、特定イデオロギーへの盲目的な跪拝の態度に批判の目を向け、その非合理的な基盤を衝かねばやまぬ性質をもっている。だから、一九六八年の「チェコスロバキアの春」の実験のように、結局行きつくところ複数政党制の提唱など、ソ連型「社会主義」体制の中核をなす共産党独裁原理に歯向かうところにまで行きつくだろう。したがって、「科学技術の刷新」を叫ぶときには、科学的な合理主義がまかり間違っても自由主義思想を随伴しないよう注意し、むしろ「労働規律の強化」や「共産主義イデオロギーのますますの重要性」のほうこそ同時に強調してタガを締める必要があるだろう。

いうまでもなく、一方で創意、イニシアティブを奨励しようとも、他方で「知的自由」を制限し、労働規律を強化するようでは、まるでアクセルを踏みながら同時にブレーキをかけるようなもの。低迷するソ連経済の打開策とはとうていなりえない。このことも、自明の理だろう。治癒すべき病原体そのものにメスを入れることなしに、病気を治したい。このことにも似た得手勝手な考えだろう。

このようにして、「デタント（緊張緩和）」というブレジネフの処方箋が出現した。ブレジネフは、国内レベルで解決しえないソ連経済の不振をいわば国際レベルにおいて解決しようともくろんだのである。具体的には日本を含む西側資本主義諸国との経済交流を積極的に進め、そこから自国ではとうてい調達できない先進科学技術をロシアへ導入してこようとする手法に他ならない。「デタント」は、この目的を進めるために絶好の手段のように思われた。もとより、「デタント」は経済的な考慮ばかりに促された外交政策ではなかった。「デタント」は、第三世界における民族解放闘争の隠れ蓑としての巧妙な外交戦略でもあった。とはいえ、西側からのテクノロジーの輸入が、国際的な「緊張緩和」を必要としたことも確かだった。右に引用した科学技術の大胆な導入政策を打ち出した第二四回党大会（一九七一年）の席上で、ブレジネフ外交の基本、「デタント」路線が同時に宣言されたのである。このようにして、やや荒っぽくいうと、一九七一年には、（国内的）科学技術主義＋（対外的）「デタント」路線＝ブレジネフ主義――。このような図式が、出来上がった。

そして実際、一九七〇年代、すなわちその後一九七九年一二月のアフガニスタン侵攻にたいする経済制裁として西側がソ連向けの輸出を再考するまでの約一〇年間、ブレジネフ下のソ連は欧米先進諸国から先進科学技術を買いまくったのだった。

「技術のみ拝借」の思想と伝統

ここで、重要なことに気づかねばならない。欧米諸国からの西側先進テクノロジーの導入というアイデアは、必ずしもブレジネフ政権をもって嚆矢（こうし）としたわけでなかった歴史的事実である。ブレジネフがおこなおうとしたことは、たとえばロシアの窓を西方へ向けて開いたピョートル大帝（在位、一六八二～一七二五年）の方策のたんなる現代版にすぎなかった。いや、ピョートル大帝よりもさらに以前に遡ることとさえ可能だった。ロシアのほとんどすべての歴代指導者たちが、困ったときに訴える常套手段——。こう評してさえ過言ではなかった。イワン大帝（在位、一四六二～一五〇五年）は、クレムリンや造幣局を建設するためにイタリア人の建築技術を用いた。つぎのイワン雷帝（在位、一五三三～八四年）も、イギリス人に印刷所建設を依頼し、ドイツ人、オランダ人の軍事技術者の助けを借りて、兵器産業を育成した。ピョートル大帝以前のお雇い外国人は、軍人や技師ばかりではなく、商人、医師、薬剤師、職人までに及び、一六世紀末までに数百人の数に達していた。

ピョートル大帝は、己の外国技術崇拝をいささかも隠そうとしなかった。大帝は、スウェーデン人やドイツ人の効率いい熱心な仕事ぶり、自己規律、正直さを高く評価し、先進国の技術の習得、とくに造船術を学ぶことに熱中し、一六九七～九八年初めにはオランダの造船所でみずからも実習に参加し、「大工ピーテル」とのあだ名すら献上されたくらいだった。この西欧旅行中に大帝は、海軍の提督から料理兵まで約九〇〇人に及ぶ各種の外国人技術者の雇用にも成功した。その後も、続々と若い人間をロシアから諸外国へと派遣し、西欧の先進的技術を率先して学ぶように命じ、かつ招聘した外国人専門家から新技術を吸収することに努めた。

ロシア時代から今日のプーチン政権期までを貫いているのは、まず西欧文明にたいする拭いがたい劣等感。ついで、自力更生の手法でなく、恥も外聞もなく外国技術をロシアへ導入することによって、それを克服しようとする発想だった。しかも、その導入の仕方に、もうひとつの重大な共通項がある。それは、「技術」だけを拝借して、その技術の背後でその技術を産み出した元である「思想」の導入を拒否するという身勝手な選択的手法だった。このようにきわめて功利主義的、便宜主義的な「技術のみ拝借」の思想は、イワン大帝、イワン雷帝からはじまり、ピョートル大帝を経て、今日のプーチン大統領まで一貫してつづいている。

しかも彼らは、徹底したプラグマティズム（実用主義）の立場に立っていた。すなわち、これらのロシアの最高政治指導者たちは、西欧のより発展したすぐに役に立つ技術の習得、模倣にのみ関心をしめし、西欧での広い意味における文化、文明の導入には興味をしめさなかった。いや、興味をしめさないどころか、敵視さえした。このことは、「社会主義」の指導者たちとなると、さらに徹底していた。ちなみに、逆に西側の実業家たちがロシアで歓迎されるのも、彼らがロシアの政治、経済体制を批判することなくあるがままに受け入れ、直ちにビジネス取引の本論に入るからだろう。

ロシア式〝和魂洋才〟――そのブーメラン効果

しかしながら、ロシアの指導者たちが望むように万事がうまく運ぶとはかぎらない。彼らが狙っているのは、日本流にいえば〝和魂洋才〟のやり方だろう。明治以来の日本の近代化と似かよっている。げんに、ピョートル大帝はしばしば明治天皇とくらべられることがある。

たしかに、「技術」と「思想」――これら二つは、ある程度までは分離可能であろう。だからといって、完全に分離可能なものでもない。厳密にいうと、「技術」の背後にある「思想」や精神を学んではじめて、「技術」をマスターすることが可能になる。一度近代化に挫折した日本は、この至極当たり前のことに改めて気づき、第二次世界大戦後は西欧の合理主義、自由主義、民主主義の思想をいわば根っこから勉強し直す態度に転じ、そのことを通じてある程度まで西欧の科学技術に追いつき、部分的には追い越しさえした。この点で、ロシアは日本の近代化とは対照的といえるだろう。だが、末端の先進科学技術のみに関心をもつかぎり、ロシアはいつまでたっても自前の技術革新をおこないえず、西側からの科学技術の導入で事態を糊塗しつづけねばならない。永遠の科学技術購入国にとどまる運命に甘んじねばならない。ロシアは、政治的なリパーカッション（はね返り）を恐れることの代償を、今後もこのような形で支払いつづけねばならない。こう予測して差し支えないだろう。

プーチンの「資源一元主義」

プーチンの考え方や路線は、必ずしもまだ一般的に通用する言葉を用いて呼ばれていない。だが、私個人は、本書の記述でもそうであるように「プーチン主義」もしくは「プーチノクラシー(プーチン式統治)」という用語を使用している。果たしてその全体をどう名づけるかを別にして、プーチン主義の主要な特徴はつぎの諸点にある。政治や経済の運営を、決して下からの国民のイニシアティブにゆだねることなく、「権力の垂直」支配の名義のもとに国家による上からの指導でおこなう。ロシアが豊富に所有するエネルギー資源を、軍需産業同様、重要な国の基幹産業とみなして、政府の厳格な監督・管理下におく。原油や天然ガスの国際価格の値上げによって得られる「レント」を側近間で分配する、いわゆる〝レント・シェアリング(分配)・システム〟の維持につとめる。

右のように要約できる「プーチン主義」の推進にとって実に好都合だったことは、プーチンがまず大統領の地位にあった二期八年間(「プーチン1.0」)が、ちょうど国際的に原油価格が高騰する期間と時を同じくしたことだった。国際的な原油価格は、プーチンが首相に就任する一年前の一九九八年には一バレル当たりわずか一二・六七ドルでしかなかった。が、プーチンが政権をになうようになる直前から上昇しはじめ、二〇〇〇年には二六・九五ドルへと上昇した。同価格はその後も右肩上がりで伸びつづけ、〇八年七月には一四七・二七ドルの最高値すら記録した。当時のロシアは一バレル当たり三七ドル（一一年には七五ドル）をベースとして国家予算を組んでいた。そのために国際的な原油価格の高騰は、莫大な「レント」を国家ならびにそれに寄生するプーチン・エリートたちの手中へと流れ込ませることに貢献した。

ところが、である。二〇〇八年のリーマン・ショック発生によって触発された世界同時経済危機がロシアへも波及した。ロシアのGDPは、〇八年には五・六％へ落ち、〇九年には何とマイナス七・九％となった。これは、BRICSという呼び名で一括される国々のなかで最悪の数字だった。なぜロシアは、他国にくらべて「より一層深刻」（ドミートリイ・メドベージェフ大統領、当時）な影響をこうむったのだろうか。現文脈では、そのすべての理由を検討する余裕はなく、またそのうちの最大のものをひとつ指摘すれば十分だろう。

それは、ロシア経済が、もっぱらエネルギー資源の輸出に依存する事実上の「モノ（一元的）・カルチャー経済」であること。そのような経済構造は、資源の国際的な価格変動の影響をもろにこうむる。一九九九年〜二〇〇八年の約一〇年間は、原油価格が右肩上がりに上昇したために、第一、二期のプーチン政権下のロシア経済は思わぬ恩恵に浴した。ところが、二〇〇八年の世界同時不況の発生後、世界の諸国はこぞって生産縮小路線へと転じ、石油、天然ガスなどエネルギー資源にたいする需要を激減させた。そうなると、エネルギー価格は急落し、ロシア経済はたちまちにして冷え込まざるをえない。「資源一元主義」にもとづくロシア経済の脆弱な体質に着目して、専門家たちはプーチン政権の最初の一〇年近くつづいた繁栄を「油上の楼閣」（名越健郎・拓大教授、ロシア政治）にたとえて、つとにロシア政府がしかるべき措置をとる必要を説きつづけてきた。格別むずかしい経済学の知識を持ち合わせなくとも、容易に理解できる理屈だった。

メドベージェフの経済「近代化」路線

ドミートリイ・メドベージェフは、プーチンに代わってロシア大統領を四年間（二〇〇八〜一二年）にわたってつとめた。ロシア憲法は「同一人物がつづけて二期を超えて大統領のポストに就くことはできない」（第八一条三項）と規定しているからである。プーチンは、自分が四年後の二〇一二年春には再び大統領に返り咲こうとする計画を抱いていた。その野望の実現にもっとも都合の良いと思われる忠実な「愛弟子」のメドベージェフを「一時的な中継ぎ投手」に任命したのだった。そのような役割を知ってか知らずか、メドベージェフは時としてプーチンの政策路線を修正せんかのような提案をおこない、実践しようとした。その一例が、ロシア経済の「近代化」路線の提案に他ならなかった。ロシアの産業構造を資源輸出型「モノ・カルチャー経済」から脱却させるための多元化を試みる。そのためには、科学技術の先進的成果をロシア経済に導入する必要がある。もしロシア国内にそのような科学技術が見つけえない場合、みずからがその創造に努める一方で、欧米先進資本主義国から輸入してくることにいささかも逡巡しない。

このような考えにもとづき、メドベージェフ大統領は二〇一〇年六月の米国公式訪問を東海岸でなく、西海岸からはじめるという「異例」の旅行スケジュールを組んだくらいだった。このとき、同大統領は、サンフランシスコ空港到着後、直ちにシリコン・バレーの視察に向かった。念願の訪問先のひとつ、アップル社で、同大統領はスティーブ・ジョブスCEO（最高経営責任者、その後二〇一一年一〇月に死去）に面会することができた。ジョブスからは直接、当時まだロシアに入っていなかった最新型モデルの携帯電話、「アイフォン4G」の贈呈を受けた。するとメドベージェフは相好を崩し、「まるで子供のように喜んだ」と伝えられる。このような「ITフリーク」のゆえに、メドベージェフ大統領およびそのシンパたちにたいしては「インターネット党」とのニックネームさえ奉られた。ついでながら、このこととの対比で、プーチンおよび彼の周りの頭の固いシンパたちは「テレビ党」と呼ばれる。

メドベージェフ構想の特徴は、繰り返すと、ロシア経済の「近代化」を、外部世界から先進的な科学技術を導入することによって推進しようともくろむ点にあった。もとより、ロシア自身も独自のやり方で新しいテクノロジーの創造に努力する。だが、それだけでは決して十分でないために、先進諸国からレディメイドの完成技術をそっくりそのまま借用しようとした。メドベージェフ自身が、大統領時代の第二次教書演説のなかで明言した。「われわれ

「ロシア」の他の諸国との関係は、ロシアの近代化という課題の解決に照準を合わせたものとなろう。(中略）われわれの関心事は、資本、新しいテクノロジー、先進的なアイデアをロシアへ流入させてくることとなのだから」。

これは、さきに触れたように、ピョートル大帝らが訴えた手法に似かよっているばかりか、その忠実な踏襲といえる手法だ。事実、シェフツォーワ女史は「ピョートル大帝方式」と名づけている。スターリンがソ連を工業化するために用いようとしたやり方も思い出させる。俗な言葉でいうと、「他人の褌(ふんどし)で相撲をとる」手法に他ならない。モスクワのシンクタンク「グローバル問題研究所」所長、ミハイル・デリャーギンは、そのような「幼稚な他人まかせ傾向」では駄目と、つぎのようなたとえを用いて批判した。それは、「まるで都会育ちの子供が、すでに焼き上がったパンを藪のなかから取り出せるかのように考えるナイーブさを露呈している」。シェフツォーワ女史にいたっては、そのような「タンデム（双頭）政権」の意図を、やや品のない比喩を用いて見事に喝破した。「タンデム政権は、インポテンツに陥ったロシア経済を再び活性化するための一種のバイアグラとして、西側からのテクノロジー輸入に熱心になっているのだ」。

「拝借の思想」批判

米国のシリコン・バレーをモデルにして、ロシアにスコルコボITセンターを開設する。

メドベージェフ大統領によるこの構想の背後には、つぎのような得手勝手な発想が見え隠れしている。ロシアは、みずからが苦しんで先進的な科学技術を発明したり開発したりしなくとも、別に差し支えないではないか。それを欧米諸国から導入しコピーしさえすればよいのだ。一言でいうと、「拝借の思想」に他ならない。

このように安易な「拝借の思想」は、ロシア人一般にみられる考え方と評して差し支えなかろう。フィンランド銀行のロシア経済専門家、ペッカ・ステラは、メドベージェフ大統領自身がこの思想に毒されているとみなして、つぎのように痛烈な言葉を用いて批判した。同大統領が「優先権をおいているのは、実はイノベーション（技術革新）でなく、イミテーション（模倣）ではないか」。ステラは、さらにロシア人に向かって忠告する。欧米諸国がすでに開発したイノベーションを猿真似したり、それに依存したりするようでは、いつまでたってもロシアは真の近代化を達成しえないことになる。たとえどんなに苦しくても、ロシアは自力でイノベーションに取り組む姿勢へ転じるべきではないか、と。

ステラを含むふくむ内外の評論家たちのアドバイスは、誠に理にかなったアドバイスである。その理由は、改めて説明するまでもないだろう。まず、技術だけを導入すればそれでこと足りる。このような表面的な学習態度では、ロシアは永遠に技術輸入国の地位にとどまらざるをえない。日進月歩の科学技術の発展を、ただたんに後追いしつづける羽目になろう。また、外国から直輸入の科学技術は、あくまでも借りものにとどまる。それらを国内で自家薬籠中のものとして使いこなすためにも、その秀れた技術をそもそも生み出すにいたった外国の思想を、その根っ子から学んでこようとする態度こそが肝要だろう。

このようにして、たとえばイギリスのリチャード・ローリーは、クレムリン指導部がなすべきことは、結局のところ自国やロシア国民の能力をもっと信頼することではないか——こういった問題提起すらおこなう。ローリーは、スターリンやサハロフにかんする優れた伝記を書いたロシア通である。ローリーによれば、ロシアの古諺がいう〈自国民を打擲せよ、そうすれば、他者は尊敬するだろう〉との考えは、もはや時代遅れではないか。むしろ、いまではその正反対、すなわち〈自国民を尊重せよ、そうすれば他者もロシアを尊敬しはじめるだろう〉。これこそが、いま現ロシア指導部に必要とされている基本的な姿勢——。このように説く。

近代化とは、ややオーバーにいえば「ロシアの後進性を打破しようとする一種の革命」（グローバル利益センター所長、ニコライ・ズロービン）だろう。もしそうだとすれば「他力本願」方式でなく、あくまでも「自力本願」の心構えでなされなければ、真の効果を生み出さないのではなかろうか。つまり、内的な衝動こそが、その決定的な原動力なのである。先進諸国からの援助や協力といった外的要素は、しょせん二次的な役割しか演じないだろう。

ロシア人の育成が肝要

他力本願でなく、自力本願の重要性といえば、現ロシアにたいしてはつぎのようなアドバイスも当を得ているだろう。ニコライ・ペトロフ（当時、カーネギー・モスクワ・センター研究員）は、のべた。「農作物は、その成育に適合した環境を必要とし、それなしには生き延びえない。ロシアでイノベーションを盛んにするためには、ロシアを去った人々をもう一度ロシアの大地へと呼び返すことこそが望ましい。［もっとも］彼らを長くとどめるようにするためには、彼らが今住んでいる場所と似かよった条件をロシアで提供する必要があるだろうが」。

二〇一〇年度のノーベル物理学部門での受賞者は、アンドレ・ガイムとコンスタンチン・ノボセロフの二人だった。彼ら両人はともに当時、英マンチェスター大学教授のポストに就いてはいたものの、もともとロシア科学アカデミー付属個体物理学研究所で働いていたれっきとしたロシア人である。いわゆるロシアから海外への頭脳流出者だった。彼ら二人が受賞したとのニュースに接したとき、メドベージェフ大統領はさぞかし無念に思い、そのような流出を今後是非とも防ぐ手立てを講じなければならぬと痛感したことだろう。実際、メドベージェフ大統領は、ガイムとノボセロフの両人に向かい是非ともロシアへ帰国し、モスクワ郊外のスコルコボＩＴセンターに活躍の場を求めるよう強く要請した。

だが、両人は、ともにその申し出を辞退した。ノボセロフ博士は「イギリスの完備した研究施設に満足しており、帰国するつもりはない」と回答した。ガイム博士も、「もう一度生まれ変わってくる場合」を除いて帰国はありえないとして、つぎのようにのべた。「[ロシアは]設備も条件も整っていない。官僚制、汚職、愚鈍さが堪えがたいレベルにまで達している」。同博士は、ラジオ局「ロシアのこだま」番組に出演し、さらにみずからの考えをつぎのように敷衍さえした。「有名人を輸入するのは愚かなやり方だと思う。自前の人間を育成すべきだ。ロシアの科学に変化をもたらすためには、インフラストラクチャーを変える必要がある。[もっとも]それは、五年や一〇年では不可能なのではあるが」。

国外移住ブームの実態

ノーベル賞に輝くような超一流科学者の頭脳流出は、あくまで例外的なケースに過ぎないので、たいして心配する必要はない。このようにうそぶいて、クレムリンは安閑とするわけにはゆかないだろう。ロシア市民レベルで国外移住熱が増大中という厳しい現実に、同政権は直面しつつあるからだ。

実際、プーチン政権下の現ロシアは、空前の国外移住ブームの波に見舞われている。一九一七年のボリシェビキ革命以来「第二の波」の到来だという。この件を担当しているロシア会計検査院のセルゲイ・ステパーシン長官によると、過去一〇年間で国外へ去ったロシア人の数は、一二五万人以上にものぼる。これは、現ロシア全人口の約一％に当たる数字である。たしかに、ボリシェビキ革命直後の二〇〇万人につぐ大きな数である。年平均にすると、約一〇万～一五万人のロシア人がロシア以外の国々（ＣＩＳ諸国を含む）へ向かっている勘定となり、たとえば二〇一五年には三五万三〇〇〇人がロシア連邦を後にした。

国際化が急速に進行中の現在、「半ば（セミ）国外移住」というコンセプトも用いられるようになった。市民権や国籍こそ変えないものの、仕事の都合や外国生活の快適さゆえに可能なかぎり長く海外諸国で生活し、本国に戻りたがらない傾向を指す。今日、海外への明らかな亡命者、このような「半ば国外移住」者、その他の理由により外国で暮らしているロシア人（ロシア語を母国語とする人々）を総合計すると、二〇〇〇万人以上の数にものぼるという。

二〇一六年七月時点で、一体どのくらいのロシア人が国外脱出を欲しているのか？　設問の仕方や調査機関の違いによって、全ロシア市民のうちの七三％とか五一％という数字もあるが、もっとも控え目に見積もっても二二％、すなわちロシア市民の五人に一人が国外移住を考慮中とみるべきだろう。二〇一六年時点で、ロシア人口の二二％が国外への永久移住を欲しているとすれば、これは一〇年前（二〇〇七年）の約七％にくらべて、三倍増の数字である。また、ソ連邦崩壊時（一九九一年末）の一八％すら超えている。ちなみに、彼らの移住希望先はつぎの通りだという。ドイツ―一九％、アメリカ―一五％、イギリス―一三％、フランス―五％、イタリア―五％。

さらに細かくいって、ロシア市民のなかで一体どのような層やグループの人々が、どのような目的のために国外移住を希望しているのか？　全ロ世論研究センターの調査によると、若年層（一八～二四歳）の三九％、高学歴層の二九％、インターネット利用者の三三％が、国外移住を希望している。他方、高齢者の九三％、低学歴層の八五％、インターネットを利用しない者の八七％は、移住を希望しないと回答した。ロシア科学アカデミー付属の社会学研究所が二〇一一年六月に発表した調査によると、三〇歳以下の青年層の二一％が国外での生活、二〇％が国外での勉学、三四％が国外での就職を希望している。

頭脳流出の動機

右のような調査結果を知って、皮肉な現象が発生している――。このような感想を抱く者がいて当然だろう。まさに今後ロシアの近代化を推進してゆくために必要な種類のロシア人、すなわち高学歴の青年層が「己の持ち物をスーツケースにまとめて国外へ去る」ことを望んでいるからである。しかしよく考えてみると、これは理解しえないことではない。彼らは、己の年齢、能力、学歴から判断して外国人に伍しても未だ十分やってゆけるとの自信が、他のグループのロシア人以上に強いからこそ、思い切って国外移住を決心するのだろう。

彼らのなかには、むしろ本国に残って母国ロシアの経済的、技術的な発展に貢献することが、大いに期待されている人々が含まれている。分かりやすくいえば、ロシア社会における「ベスト・アンド・ブライテスト」（ウラジーミル・シラペントフ教授、ミシガン州立大学、社会学専攻）である。このような「創造的階層」に属する人間の国外移住を指して、「頭脳流出」という言葉を用いても差し支えないかもしれない。そうだとすれば、タンデム政権は近代化路線を唱える一方で、現実にはまさにそれに逆行することをおこなっていることになろう。たとえばスコルコボＩＴセンターへ外国からの優秀な企業家、科学者、技術者たちを熱心に誘致しようと試みる。その一方で、ひょっとすると彼らに匹敵するかもしれない可能性の持ち主たる優秀なロシア青年層を事実上国外へ追いやっているからである。

ロシア人は、一体どのような動機にもとづいて国外移住を決意するにいたるのか？　もとより、その理由は各人各様、千差万別だろう。だがそれでは答えにはならないので、シラペントフ教授が最近の論文中でおこなっている分類を参考にしよう。シラペントフによれば、欧米諸国における優秀な教育設備、それらを比較的自由・平等に享受できる機会、言論・思想・集会の自由の存在……等々、一言でいうと、「自己実現」追求の可能性がより広く開かれていること。これこそが、ロシアの若者たちをして国外移住を決意させる重要な動機づけになっている。裏返しにしていうと、現ロシアでは右に列挙したような可能性がひじょうにかぎられているか、ほとんど存在しない。とりわけ精神的な欲求の充足が得られない――このことが、母国脱出の主要事由になっている、という。

ポチョムキン村の現代版？

メドベージェフが大統領時代にとくに熱心になったスコルコボITセンターの設立に話を戻す。同センター成功に懐疑的な思いを抱くロシアの評論家たちは、スコルコボ構想にたいして「現代のポチョムキン村」というあだ名を奉った。ポチョムキン村とは、ロシア史の故事にもとづく。エカテリーナ二世の寵愛を得て出世街道を歩んだグリゴーリイ・ポチョムキンは、女帝が行幸する街道沿いの外装部分だけを前もって飾りたてることによって、あたかも街全体が繁栄しているかのような外観をつくり出そうとした。そこから転じて、ポチョムキン村とは、見かけこそ美しいものの中身は空っぽの張りぼてという意味で用いられる。

スコルコボITセンターの批判者たちは、説く。ポチョムキン村にたとえられるような「ショー・パビリオン」に莫大な資金やエネルギーをつぎ込むことよりも、現ロシアにとってはより喫緊の優先事がある。たとえば、製造加工業を中心とする基本的な実体経済の土台づくりである。また、「地方の何千という学校、病院、道路、空港といったインフラストラクチャーの整備や修復」である。汚職の根絶、知的財産権の保護、言論や報道の自由、法の支配の徹底化も、同様の優先事項ではないか、と。

これらの社会的、政治的な近代化が先行してはじめて、ロシア人一般に勤労やイノベーションの意欲が刺激され、経済的な近代化の達成が可能な視野に入ってくるのだ。いきなり起死回生のホームランを打つことを狙うよりも、まずは地道な基礎体力づくりに励み、確実なヒットを積み重ねるべし。メドベージェフのスコルコボ構想に加えられる批判は、このような正攻法の勧めに要約されうるだろう。

政治の近代化を考慮せず

メドベージェフ流「近代化」構想の第一の特徴は、外部世界からの先進的な科学技術を拝借してくればよいとの考え方だった。第二の特徴は、この第一の特徴のいわばコロラリー（系）だといえる。すなわち、欧米先進国から「資金、知識、テクノロジー」をロシアへ注入することによって、ロシア独自の政治制度（いわゆる「主権民主主義」）には決して手をつけることなく、それを温存しようとする。いや、それを活性化し、サバイバルさせようとすら試みる。そのような身勝手さに求められる。端的にいうと、メドベージェフの「近代化」スキームは、経済や技術のみの近代化を念頭におき、政治の近代化を考慮に入れていないのだ。

たしかに第二回教書演説（二〇〇九年一一月）のなかでメドベージェフ大統領（当時）は、「包括的な近代化」というフレーズを用いはした。だが、それはわずか一回かぎりのことだった。しかも、「包括的な近代化」とは、一体何を意味するのか。その具体的な内容にかんして、同大統領は一言も説明しなかった。おそらく意図的にそうしなかったのだろう。同演説中で「近代化」という用語は、ほとんどの場合、「経済的」や「技術的」などの修飾語や限定句を伴って用いられていた。たとえば、「経済的近代化」、「テクノロジーの近代化」、「技術的発展の近代化」などといった具合だった。

メドベージェフ大統領によるこのような「近代化」概念の理解や意味づけは、きわめて狭義のそれである。だとするならば、それははなはだ身勝手、かつ不適当とすら評さねばならない。近代化の主要手段とみなすイノベーションについての理解にかんしても、同大統領は間違っている。「イノベーション」とは、米国の経営学者、ピーター・ドラッカーの定義を引くまでもなく、たんなる科学や技術上での発見だけに尽きるものでないからである。現にドラッカーは、力説する。「イノベーションをイノベーションたらしめるものは、知識でなく、新たな価値」であり、それが「経済や社会に変化をもたらして」はじめて、イノベーションと呼ぶに価するのだ。

レント・システムを固守する理由

このようにして、結局、メドベージェフ大統領による外国からの科学技術の導入は中途半端なものに終わらざるをえなかった。というのも、それは欧米流の合理主義思想を徹底的に学び、ゆくゆくは「拝借思想」から脱却することをめざさねばならないはずだったからだ。しかしそんなことをすれば、プーチノクラシーの政治と経済の基盤である〝レント・シェアリング・システム〟を危うくしかねない。

〝レント・シェアリング・システム〟とは、さきに説明したように、プーチンならびに彼の側近たちが主として「(資源)レント」を独占する体制を指す。すなわち、プーチン政権とは、レントの「シェアリング(共有・分配)」で結びついた利益集団なのであり、プーチンは同集団の「総支配人」(ブルッキングス研究所上級研究員、クリフォード・ガディ博士)に他ならない。

メドベージェフ大統領が経済の近代化を徹底して推進してゆくならば、一体どうなるだろうか。それは、ロシアの産業構造を資源依存型から多元化させることを要求しているから、遅かれ早かれ〝レント・システム〟を原理的に掘りくずす方向に働く。もし「経済」の近代化が「政治」の近代化へと進展するならば、それはたんに〝レント・システム〟ばかりでなく、プーチノクラシーそのものを危殆(きたい)に瀕しかねなくなるだろう。『ベドモスチ』紙(二〇一〇年六月二二日付)は、このことをつぎのように警告する。

「経済を急速に成長させるためには、制度改革が必要――。ロシア政府は、このことを百も承知である。汚職との闘い、私的財産権の保護、司法改革、競争の促進……等々である。ところが[ロシアの]支配階級は、改革がつぎの危険をもたらすことも同様に確信しているのだ。つまり、もし[改革がどんどん進展し]GDPが増大すると、一体どのような事態が招来されることになるのか。エリート官僚が権力の座にとどまり、資源レントを独占的に横領しつづけることを危殆に瀕しかねないだろう」

このようにして、レント関連諸企業の幹部ポストを独占するプーチンの側近、部下、「お友達」は、つぎのように考え、結論するにいたるのである。「近代化」を推し進めることは、これまで彼らが結びついていた血縁、地縁（たとえば、「サンクト・ペテルブルク閥」）、その他のコネ（たとえば、「シロビキ」閥）などインフォーマルなネットワークを、必ずや弱体化させる方向に働く。結果として、それは〝レント・システム〟の基盤そのものを掘りくずすことになろう。だとすれば、近代化が政治、社会の諸領域へと拡大してゆくことには反対せねばならない。さらにいうならば、そのような危険な萌芽を内蔵するがゆえに、そもそも経済の近代化そのものに賛同することすら禁物になろう。

中途半端な「近代化」

メドベージェフ大統領による「近代化」の訴えは、右のような懸念を抱く体制内エリートたちの反対によって骨抜きにされ、結局、中途半端なものに終わらざるをえなかった。政権反対派のリーダーのひとり、ウラジーミル・ルイシコフ（元「ヤブーロコ」党の第一副委員長）は、メドベージェフ提唱の近代化構想が内包するそのような中途半端性を鋭くついて、つぎのようにのべる。「メドベージェフは、疾病の症候を指摘するだけにとどまっている。彼は、病気それ自体に目を向け、それを治療しようとはしないのだ」（傍点、木村）。ルイシコフのいう「病気それ自体」が〝レント・システム〟を指していることは、改めてのべるまでもない。ルイシコフはつづける。メドベージェフ版「近代化」は、「このシステムの基本的性格」の変革に踏み込むことに逡巡し、その一歩も二歩も前の地点で立ち止まろうとした。そのような限界をもつがゆえにメドベージェフ構想は、遅かれ早かれ失敗せざるをえない運命にあった。ルイシコフは、こう結論する。

シェフツォーワ女史も、メドベージェフの「近代化」路線の不徹底性を突く。彼女はその欠陥を指摘するにさいして、ルイシコフとほとんど同一の言葉さえ用いている。「ロシアの現エリートたちは、体制の根源的事由に立ち向かおうとはせずに、たんに危機の指標や結果だけを見て、それに対処しようとしている」。同女史は、さらに手厳しい批判をつづける。メドベージェフ版「近代化」構想は〝レント・システム〟を根本的に改変しようとしなかったばかりではなく、逆にそれを維持しようとした。同システムを永続化させようとして微調整の努力をおこなっただけだった。同構想は、そのような目的を達成するための「道具(ツール)」でしかなかった、と。『独立新聞』紙上の匿名論説も、シェフツォーワ女史とほぼ同様の言葉を用いて、タンデム政権が直面していた状況を端的につぎのように分析した。「ロシアで現在発生中の問題の原因は、制度に起因している」(傍点、木村)。

近代化とは余計に働かされるだけ

メドベージェフが大統領時代(二〇〇八～一二年)に提案したロシア経済の「近代化」と

は、何度も繰り返すように指導者、メドベージェフが発案し、上から実施しようとした構想だった。「近代化」といえば、たしかにその響きは悪くない。何人も容易には反対しえない概念とすら評しえよう。ロシアでは、しかしながら、「近代化」が為政者の号令で推進される場合、ほとんど例外なくそのコストを負担する羽目になったのは、被治者大衆に他ならなかった。このような歴史的事実が、是非とも想起されねばならない。たとえばピョートル大帝による首都サンクト・ペテルブルクの構築は、何万、何十万という人民の汗、血、生命を犠牲にしてはじめて実現した。スターリンによる工業化も、まったく同様だった。

このような歴史上の経験や記憶がまだ生々しく残っている現ロシアで、「近代化」はロシア国民大衆によって必ずしももろ手をあげて歓迎されるキャンペーンなのではない。一時クレムリンのスピン・ドクター（報道対策スポークスマン）のひとりとして有名だったグレブ・パブロフスキイですらのべた。「ロシア国民が欲するのは、モビライゼーション（国民の動員化）なしのモダナイゼーション（近代化）である」、と。

事実、メドベージェフ大統領の「近代化」キャンペーンにたいして、ロシア人一般ばかりでなく、エリートや知識人たちですら、おしなべてシニカルな反応をしめした。むべなるかなと評さざるをえない。そのようなシニカルな反応の例を記そう。まず知識人の発言から。

ビクトル・リンニク（ロシア週刊誌『言葉（スローボ）』の編集長）は、現ロシアが「近代化」の必要に迫られているという現状認識それ自体には同意する。他方、では一体誰がそのコストを引き受けるのか。この重大な問いを提起して、彼はのべた。その負担をロシア国民全員が平等に負担するのならば、賛成しないわけではない。だが、トップの指導者が上から号令する一方で、その主たるシワ寄せが一般庶民だけに及ぶ――このようでは、とうてい賛同しかねる。これまでのロシアでは、「近代化」キャンペーンは国民一般の福利厚生に役立つどころか、逆に彼らにさらなる労働強化を要求するだけの結果に終わるのが、常だったからだ。

ニコライ・スバニーゼも、ほぼ同様の見方をおこなう。彼は、ロシアのTVやラジオのホスト役をつとめ、大統領就任直前にメドベージェフにインタビューした本を出版したことでも有名な人物である。そのような彼はのべる。ピョートル大帝やスターリン流の「無慈悲で情け容赦のない」近代化を推進することは、現ロシアでもはや望み薄になっている。結果として、同時に「諸改革を並行しておこなうヨーロッパ型近代化の道しか残されていないのではないか」。スバニーゼによれば、しかしながら、ロシアのエリート間では未だ「ヨーロッパ型近代化を推し進める用意は備わっていない。一般庶民も、それを欲していない」。

エリートですら近代化に反対

経済近代化は、必ずしも己の利益増大につながるとはかぎらない。ロシアのエリート層ですら、そのように解釈する。少なくとも経済エリートたちは、そう考える。これは、一見するかぎり驚きであり、不可解な反応のように思われる。というのも、通常、経済エリートたちには経済の「近代化」を望みこそすれ、反対する理由など抱きえないように思われるからだ。ところが、ロシアの経済エリートは異なる。なぜそうなのか。若干の説明が必要になろう。

メドベージェフが説く経済の「近代化」とは、端的にいうと、より一層効率的なテクノロジーや組織を活用することによって、生産コストを削減しようという試みである。しかも、それを国家主導でおこなう。ところが、ロシアのたいていの経済エリートたちは、生産コスト削減というアイデア自体に必ずしも大して興味をしめさないのだ。仮にコスト削減に成功したとしても、それが彼らの利益増大につながるという保障が存在しないからである。たしかに、選ばれたひと握りの企業は、スコルコボITセンター、その他「タックス・ヘイブン」などさまざまな特権や優遇措置の恩恵に浴するかもしれない。だが、そのために政府が余分に必要とする費用を、一体誰が負担するのか。打ち出の小槌がない以上、それは回りまわってその他の一般企業や国民が負担せねばならない理屈になろう。そんな羽目になるくらいなら、いっそ現状維持で結構。ロシアの経済エリートたちの多くは、こう考える。

ロシアの政治エリートたちは、経済エリートたち以上に、メドベージェフ大統領提唱の「近代化」構想に抵抗をしめす。当然だろう。彼らは、プーチンが大統領時代に礎石をおいた〝レント・シェアリング・システム〟の最大の受益者だからだ。〝レント・システム〟を一日でも長く存続させる――。これこそが、彼らの最大の関心事なのである。同システムが、たとえ資本逃避、頭脳流出、汚職・腐敗などの諸弊害をロシア社会にもたらそうと、それは彼らが関知するところではない。しかも、彼らにとってメドベージェフの「近代化」構想は、一体何を意味するか。それは、たとえ最初は経済分野からはじめられようとも、遅かれ早かれ政治制度の「近代化」を要請するにいたるだろう。もしそうなれば、「近代化」は彼らの政治的、経済的基盤である〝レント・システム〟の墓掘り人の役割を果たしかねない。

このようにして、ビャチェスラフ・イノゼムツェフ教授（高等経済学院）は、結論する。「近代化のアイデアは、まさに［ロシアの］エリートの人生観と根本的に対立する」。エコノミストのセルゲイ・アレクサシェンコも、同様にのべる。「権力を己の手中に半永久的に握りつづけていたいというプーチンおよび彼の側近たちの願望――。これこそが、ロシアの改革を阻み、ロシアの真の近代化の主な障害物になっているのだ」。

笛吹けども踊らず

一部のロシアの学者や評論家たちのなかには、メドベージェフの「近代化」を批判する際に、ゴルバチョフの「ペレストロイカ（立て直し）」との類似性を指摘する者もいる。たとえばラジオ『モスクワのこだま』の著名なコメンテーター、アントン・オレフは、そのようなひとり。オレフは、メドベージェフ大統領を「ロマンチック」な指導者と揶揄（やゆ）する。「同大統領は、ロシア国民が変化を欲しているばかりか、変化する能力をもつ」ことを、己の「近代化」構想の大前提に据えているからである。しかしながら、そのようなメドベージェフ大統領の見方は、まず前提そのものが間違っているのだ。というのも、オレフによれば、「ロシア国民はラジカルな変化を望んでいない。つまり、彼らは『近代化』を欲していない」からである。

イノゼムツェフ教授も、オレフ同様に、まず、メドベージェフ版「近代化」がゴルバチョフの「ペレストロイカ」に似かよっているという。ともに「空虚なスローガン」の提唱という点で、大いに共通しているからである。だが、両者は国民の支持という点では若干異なるとして、イノゼムツェフはつぎのようにのべる。ゴルバチョフの「ペレストロイカ」は、一八年間もつづいたブレジネフ期の「停滞」に飽き飽きし、経済的困窮の極致に追いつめられたロシア国民大衆によってある程度にまで支持されていた。だが今日、たいていのロシア人は現状維持主義者（ステータス・クオ）へと変わっている。プーチン主導下の「安定」（たまたまそうだったにすぎず、実際は、「停滞」以外の何物でもなかったのだが）に、不承不承とはいえ満足している。メドベージェフ版「近代化」とは、そのようなロシア国民大衆にたいして現在にくらべて余分に働くことを要請する。そのような結果を導くことがあらかじめ分かっている同大統領の構想に賛同し、踊らされるのは愚かであり、真っ平ごめん――。これが、現時点におけるロシア国民の一般的な受け取り方なのである。

別のロシア経済学者、ウラジーミル・マウも、ほぼ同様の見方をつぎのようにのべる。「[現]ロシア社会は、まだ近代化にたいする十分強力な要請を産み出すにはいたっていない。(中略)近代化は、しょせんプーチンやメドベージェフの個人プロジェクトの域にとどまっている。ロシアの大統領や首相は改革を欲している。だが彼ら以外には、ロシアの誰ひとりとして、そのために余計な努力を傾ける気分にはなっていないのだ」。

一般論としていうならば、ロシアではほとんどつねに指導者の意向と国民の意識のあいだに大きな乖離がある。たとえばピョートル大帝は、ロシアが中世の状態から脱却して近代化を遂げるべきと考えたが、当時の被治者大衆——ほとんどが農奴——の側には、それを必要とみなす気分など存在していなかった。レーニンやボリシェビキは、ロシアを共産主義社会にしようと欲したが、当時のロシア農民たちはそのような意欲を欠いていた。ゴルバチョフやエリツィンは、ロシアをして民主化や市場経済化の道を歩ませようと意図したが、ロシア国民側にそのための準備は未だ整っていなかった。このような懸隔は、メドベージェフ提唱の「近代化」についても程度の差こそあれ当てはまるのではなかろうか。本章全体の結果として、つぎの結論に到達せざるをえない。「(指導者)笛吹けど、(民衆)踊らず」。

第10章 社会

奇妙な結託、プーチンと国民は共犯者

謎のなかの謎に包まれた謎

「ロシアは、謎（riddle）のなかの謎（enigma）に包まれた謎（mystery）である」。ウィンストン・チャーチルが『第二次世界大戦回顧録』のなかで記した、冒頭にも引用したあまりにも有名な言葉である。同じ「謎」を表わす単語を三種類用いて、実に心憎い。ノーベル平和賞でなく文学賞に輝いた同『回顧録』は名文の誉れが高く、その文章をモデル視する社会科学者も多い。それはともかく、かれこれ六〇年近くにわたってロシア研究に携わってきた私が、このチャーチルの至言を思い出さぬ日は、ただの一日もない。ことほどさようにロ

シア、とりわけロシア人の行動様式は、謎に包まれた不可解の一語につきる。

とはいえ、いたずらに嘆息するばかりが能ではあるまい。なんとか謎を解きほぐす努力が必要だろう。本章では、ここでわれわれの目をロシア社会に転じよう。謎に満ち、とらえどころがなく複雑な相貌をみせるロシア社会を、少しでも分かりやすく説明するなんらかの方法を探してみようではないか。

〝マトリョーシカ〟構造

謎に満ち、複雑多岐にとらえどころのないロシア――。それにアプローチするひとつの方法として、ロシア社会が多重構造から形成されているとみなしたらどうだろうか。われわれ外国人がロシアに滞在をつづけ日数がたってゆくと、ロシア人やロシア社会は、その厳しい警戒心をやや弛めるかのように、ごくわずかとはいえその内部や深奥を覗(のぞ)かしてくれるようになる。以前にはまったく目に入らなかったものが、少しずつ見えてくる。たとえていうと、ロシア社会はまるで玉ねぎの皮を一枚一枚剝(は)ぐかのごとく、その本音の部分をみせる。むろん、今日剝いだ皮が最終の表皮であるという保証はどこにもない。明日には、さらにもう一枚奥の皮を剝いでくれるかもしれない。

もうひとつ、良いたとえがあるかもしれない。ロシア帰りの旅行者が必ずといってよいほどお土産に買って帰る〝マトリョーシカ〟（木彫りの人形が）ある。手っ取り早くいえばロシア版のコケシ人形である。ただひとつ東北地方のコケシと違う点がある。マトリョーシカのなかには、いくつもの小型マトリョーシカが入っていること。わが家の書棚に飾ってあるもっとも大きいマトリョーシカを開いてみると、なんと一四個も小さな人形が順ぐりに出てくる。私には、このマトリョーシカこそがロシア社会の多重構造を象徴的に表わしているように思えてならない。

ロシア社会は、むいてもむいても最後の一枚ということのない玉ねぎ社会、または外側の人形をいくらはずしていっても新しい人形の顔を秘蔵しているマトリョーシカ。これらにたとえられるような奥ゆきと深みをもつ多重構造社会である。とはいえ、本書では分かりやすくするために思い切って話を単純化して、ロシア社会が二つの層から成り立つ二重構造社会であるととらえてみよう。そして表層、深層にあるそれぞれの部分を、「公式（フォーマル）な世界」、「非公式（インフォーマル）な世界」とみなし、以下、順番に説明を加えることにする。

ロシア人ないしロシア社会の外側のフォーマルな部分を、仮に『プラウダ』の世界と名づけよう。『プラウダ』とは、ロシア語で〝真理〟〝真実〟を意味し、いうまでもなく元ソ連共産党のもっとも重要な機関紙の名称だった。かつては発行部数一〇〇〇万部以上を誇る世界最大の日刊紙だった。ソ連共産党中央委員会の公式的見解を、党員、国民、そして全世界に伝える広報メディアの役割を果たしていた。私が『プラウダ』の世界という言葉で象徴的に表わそうとしているのは、いうまでもなく、たんに『プラウダ』一紙に書かれていることにかぎらない。かつてロシア政府の主要機関紙だった『イズベスチヤ』（ロシア語で〝報道〟〝ニュース〟の意）等々、ロシア社会やロシア人の公式上の表向きの顔を象徴的に指している。

プーチン時代の今日、活字報道はもはや最重要な機能を演じていないので、より正確には国営三大テレビ、すなわち「ロシア・テレビ（ＲＴＲ）」、「独立テレビ（ＮＴＶ）」、「ロシア公共テレビ（ＯＲＴ）」（第一チャンネル）の世界と呼ぶべきかもしれない。あるいは、対外宣伝を主な機能とする「ＲＴ」テレビの世界というべきかもしれない。しかし、それらは日本の読者にはなじみがうすいので、やはり『プラウダ』の世界と呼ぶことにしよう。いずれにせよ、それはロシアの建て前であり、正面玄関である。

ロシア社会には、「公式（フォーマルないしオフィシャル）な世界」の他に、もうひとつの世界が存在する。「非公式（インフォーマルないしプライベート）な世界」である。それは、連帯と相互扶助を特徴とする内面的自由の世界であり、端的にいうと本音の世界である。

賄賂は潤滑油

ロシアの「非公式の世界」に生きようとするなら、つぎのような一連の簡単なロシア語を覚え、それに習熟する必要があるかもしれない。

まず「ブラート」。ロシア語で、コネ、裏口、不正ルートを意味する。「ポ・ブラートゥ」といえば、「コネで、裏口によって、不正ルートで」の意味。「ブジャートカ」は、「ブジャッチ」（取る）という動詞から派生した言葉で、賄賂の意。ロシア語では「右」と「正義」は、同一の綴り「プラーボ」である。左翼の方にはお気の毒だが「左」の語感はあまり良くない。賄賂や袖の下など不正手段を用いることを「ナ・リェーバ（左手で）」という。

賄賂や「袖の下」によって便宜をはかってもらうのは、外国人とくに言葉の不自由な日本人がやりはじめたことで、その結果、純真無垢なロシア人を堕落させてしまった——こう説く者がいるが、これは事実に反する。たしかに、外国に出た日本人が、ロシアのみならず全世界で外国語が堪能でないことや東洋的気まえの良さで、各国の「地下の世界」に少なからず貢献したこと（！）は、たしかな事実かもしれない。モスクワで売春の値段をつり上げた。これも、日本人男性であるとさえいわれている。ロシアの元映画監督で西側に亡命したユーリー・ブローヒンは、『ゴーリキイ通りの大さわぎ―今日のロシアにおける性と犯罪』（一九七五年）のなかでつぎのように記す。

「ブラックマーケットでは、日本人ツゥーリストの評価がいちばん高い。日本人代表を相手にするのは、たとえていうとダイヤモンドの詰まった金庫を見つけるようなものだ。日本人は、絶対に値切らない。ほとんど言いなりの値を呑んでくれる。日本人はサムライの誇りと威信を保ったまま、毅然として映写機、カメラ、腕時計、ドルを手渡してくれる。値段があまりに低すぎる場合は、丁重に微笑を浮かべ立ち去ってゆくだけである」

贈答文化か相互扶助か

しかし私の見るところ、ロシア人のみならずスラブ民族は、アングロ・サクソン系の諸国民などと異なり、それが賄賂であれ贈りものであれ、一般に物品のやりとりを大変好む国民性の持ち主である。その点で、韓国、中国、日本などアジア民族とひじょうに似かよっている。いや、ロシア人は明らかに「贈答文化」圏の住人なのであり、われわれは彼らを訪ねるとき、花束、ワイン、その他のお土産の持参を忘れるのは、禁物である。

一九七〇年代半ばのブレジネフ時代のことであるが、在モスクワ日本大使館につとめる誇り高いタイピスト女史たちですら、私にたいしアメリカ煙草をたびたび秘かにねだったものだ。というのも、外国製シガレット——とりわけマールボロ——は、かかりつけ医者への最良の心づけになるからだという。私が、またロシア人たちにチューインガムやシガレットをすすめても、彼らは決して私の目の前で口にしないで、ポケットやハンドバックに収める理由がなぜか、最初のうちはよく分からなかった。彼らは、得がたい外国製品をみずからが直ちに消費しようとはしないで、贈答用にとっておこうと考えたからだった。

ロシア人が、賄賂や「袖の下」を決して拒否しないひとつの理由は、ロシア的な考え方からすると、そのような習慣が決して腐敗や堕落とはみなされず、お互いさまの慣習だからである。ロシアの一女優は、『ニューヨーク・タイムズ』のスミス記者に語った。「ブラート」とは、「あなたが何かしてくれるなら、私もお返しに何かしましょう」。言い換えると、「『私の背中をかいてくださるのなら、私もあなたの背中もかいてさしあげるわよ』ということ」。終戦直後の日本で、断固として物資を闇で入手することを拒否したために餓死された裁判官がおられた。だが、ロシア人のたくましさからみると、そういう美談は「武士は食わねど高楊枝」式の東洋的なやせがまんとして、たんに軽蔑されるだけの話だろう。慢性の品不足と社会のほとんどすべてのものが㊋になっていたソ連社会では、「ブラート」や「袖の下」を使わないで生活している者など、ただの一人もいなかった。

ロシア革命の情熱が、ある程度まで賄賂や「袖の下」使用のブレーキとなったことは、たしかだったろう。だが時の経過とともに、その抑制心が次第にうすらいでいったことも、もっともなことだった。私の妻が、長男を出産するためにモスクワの病院に入院したことがあった。私は、面会が許されて以後せっせといろいろなものを差し入れ用に運んだものだが、そのほとんどがつき添いのおばさんの手に渡ることになった。なにしろロシア人のおばさんは、家内が手洗いに立ったすきに持ちものをすべて調べあげ、彼女にサービスするたびごとにひとつひとつ名指しでねだるからだった。あるいは、黙って持ち去るからだった。モスクワ勤務二度目の日本外交官の夫人は、自身も数年前、同じ病院で出産したが、「当時は、そんなことはなかったわ。ガッカリだわね」とのたまわれた。ソ連社会は、その点でたしかに悪い方向に進んでいったのだろう。

小噺の傑作「国民総泥棒」

ロシアは、ソ連時代の約七〇年間、国家が唯一の雇用主であり、国民全員が公務員だった。国民が国家による搾取から逃れえないとすれば、国民のほうも同様の理屈で国家を搾取する以外、生き残る術は残されていなかった。国家とは全人民、つまり自分のことなのだから、己のモノを己が自発的に受け取ってなぜ悪いのか。こういう理屈も、成り立った。

元映画監督のブローヒンは、ロシア人のプロのスリに向かって「被害者にたいし良心の呵責を感じたことはないのか」と問うた。スリは「全然ありません」と語り、つぎのような答えを返してきたという。「全員が泥棒の国に住んでいて、誰が良心の呵責を感じられるものか。テレビ工場の労働者は一本ずつ真空管をくすね、職長はスペア部品をごっそり荷車で運び出す。監督官は、テレビ一台を家まで引いてゆく。工場長は書類を巧みに操作して、ポケットをふくらませる。彼らと私と違う点はひとつだけさ。彼らは社会のポケットに手を入れている。あっしは彼らのポケットに手を入れるだけの違い」。

つまり、ピエール・ナヴィルによれば、旧ソビエト・システム下では「国家資本主義に固有の連帯的な搾取」がおこなわれていた。しかし、ナヴィルがそのように言うだけでは、ソビエト国家側が一方的に搾取しているように響く。アンバランスにならないために、ナヴィルは、人民大衆側による国家財産の連帯的な搾取の側面についても一言すべきだった。原卓也編者『ロシア・ジョーク集』には、つぎのような小咄がある。「『未経験』――〝月給だけで暮らしてゆけるものでしょうか？〟〝わかりません。試してみたことがないので〟」。

もうひとつ、「国民総泥棒」と題する小噺の傑作は、つぎのようなものだった。「イワンがウォロージャにいった。〝考えてみると、わが国は世界一豊かな国だな〟。〝なぜ？〟とウォロージャが尋ねた。〝だって、革命後六〇年間も、みんなが国家から盗みをつづけてきたのに、まだ盗むものが残っているじゃないか〟」。

連帯によって体制の骨抜き

話を、政治的な分野に移す。結論をさきに記すと、政治、行政、司法の分野でも、ロシア人は、その輝かしい伝統としての防衛メカニズムを大いに発揮して、たくましく生きている。傍(はた)の者が心配するには及ばないのだ。

現プーチン統治下のロシアの被治者大衆は、官僚主義、準権威主義支配、経済上の〝三重苦〟（原油安、ルーブル安、G7による制裁）に呻吟し、疲労困憊、絶望の極致にさまよっている――。われわれ外部の者がこう推測するのは、必ずしも事実に合致していない。ちょうど経済生活で「袖の下」、コネなどの相互扶助の精神やカラクリを利用して、プーチン型「国家資本主義」に由来する物質生活の貧しさや不便さに対抗しているのとほぼ同じやり方で、ロシア国民たちは相互連帯の助けを借りて、プーチノクラシー下の準権威主義的な統制や不自由さにどっこい対抗しているからだ。押しつけられた制度や仕組みをその運用過程で、擬装、サボタージュ、受動的抵抗などの生活の知恵や工夫をこらすことによって内部から掘りくずし、体制側の狙いを骨抜きにしたくましく生きているのである。一、二、例をあげて、説明しよう。

〝ウサギ〟の跋扈

ソビエト期のロシアでは、バス、トロリー・バス、路面電車などの一般公共交通機関は、同志相互によるコントロール制度を採用していた。車内に車掌をおかずに、代わって乗客全員が車掌の役割、つまり乗車運賃の支払いをチェック、監督する役目をになう建て前のはずだった。

　ところが、私も乗車し注意深く観察してみると、必ずしも全員が正直に料金を払っていなかった。パスをもっている者もいたのかもしれない。また、あらかじめ切符や小銭の持ち合わせがなかったり、満員の車内で、つい隣人に乗車賃を手渡しにしてもらう便宜を頼みそびれているあいだに目的地に着いてしまい、慌ててそのまま降りてしまった。こういった「強制された無賃乗車客」もいたのかもしれない。そういえば、私自身もさしたる悪意もなく、うっかり「薩摩守忠度（さつまのかみただのり）」（ただ乗り）をやってしまったこともあった。

チェーホフの『車内風景』とか『めでたい結末』という短編小説を読むと、一九世紀のロシアでは、ただ乗り客のことを〝ウサギ〟とか〝鴨〟と呼んでいたようである。無賃乗車は、ロシアにかぎらず、人類共通の軽犯罪行為だろう。『読売新聞』モスクワ特派員のA君が私に直接話してくれた話がある。A君は、モスクワ単身赴任後、知り合ったモスクワ娘を勇を鼓してレストランへ誘った。彼女は即座に、「いいわ」と快諾。タクシーに手をあげて、イイカッコしようとする彼の腕をとって、「もったいないから〝ウサギ〟で行きましょうよ！」。彼女ととっくの昔に別れた今も、彼女がゴムマリのように弾む声で発音した「ウサギで行く（パイェハッチ・ザイーツェム）」というロシア語だけは、耳の奥に焼き付いているという。

東京外語大ロシア語科を卒業後に彼が直接おぼえたロシア語最初のスラングだった。別のモスクワ特派員、『朝日新聞』の杉田寿男氏が伝えた『ソビエト文化』紙の記事（一九七五年六月）では、当時、モスクワ市内の路面電車のある車庫の責任者によると、「切符なしの無賃乗客は一三〇〇万人」、すなわち「乗客の七人ないし八人に一人が無賃乗客」だった。

効き目ない社会的制裁

問題は、ロシア版「薩摩守忠度」、すなわち〝ウサギ〟にたいする社会的制裁の実態である。

私の観察するところ、乗客のうち誰ひとりとして他の乗客が正しく料金を払っているか否か、まったく気にとめていない様子だった。〈旅は道づれ、世は情け〉。野暮なことはすまいという気持ちなのだろうか。そこで、社会的な制裁の仕組みを補い、効果をあげようとして、当局は検札官を不意に車内に送り込むことにした。〝ウサギ〟を見つけるや大声で、「みなさん、この人は無賃乗客ですよ。なんて恥知らずな……」とお説教。罰金よりも、この不名誉のほうが、効き目があると考えていた節があった。

　ところが、ロシア人相手にそのような社会的制裁は、ほとんど効き目を発揮しなかった。『ソビエト人』（一九六〇年）の著者クラウス・メーネルトの言葉を借りると、スターリンの死後になってソビエト時代特有の強制メカニズムが若干緩和されるやいなや「古いロシア人が頭をもたげ」、「人々の同情は国家権力に違反する人々の側に集まった」ことが、その主な理由だった。メーネルトは、自身がモスクワの街頭で目撃した二つの例を紹介している。

　その一。娘が、〝ウサギ〟をしているところを、たまたま乗り込んできた検札嬢に見つかってしまった。すると、三人組の学生のひとりが娘に余分の切符をそっと握らせ、救済に乗り出した。目ざとくそれをみつけた検札嬢は、「いけません！（ネリジャー）」とどなった。乗客たちのなかから、「それはいかん（ネリジャー）」という声が発せられた。第二の「ネリジャー」は、なんと娘にではなく、検札嬢にたいして向けられたものだった。「娘さんは切符をもっているんだからいいじゃないか」。「そんな官僚主義にはがまんできないな」。頭にきた検札嬢は、今度は乗客たちに向かって抗弁したが、なんの役にもたたなかった。形勢は、検札嬢の側にあきらかに不利だった。バスが止まると、〝ウサギ〟はさっさと降りてゆき、学生たちはドッと笑ってその後につづいた。

その二。バスに乗り遅れまいとして歩行禁止地区を横切った男が、警察官に見つかってしまった。罰金請求にたいして、男は「持ちあわせがない」。「じゃあ、署まで同行願います」。「いやです。仕事に遅れる」の押し問答。つぎのバスを待っている者のなかから、ひとりの将校が「放してやりたまえ。別に犯罪でもないんだから。ほかの連中だってやっていることではないか」。実際、この問答をよいことに、みんな歩行禁止地区をぞくぞく横切っているのだ。ますます頭に血がのぼった警察官は、「規則は、規則です。誰も彼もが好き勝手をしたら、一体どこに権威があるんです」と、男の外套をつかんで引っ立てようとした。「つかむのはやめてくれ」。男は大声でさけび、警察官を押しのけバスにかけより、追いすがった警察官をバスのドアから突きとばして、みずからはバスに乗り込んだ。顔面を真っ赤にした警察官を尻目にバスは発進し、乗客一同は爆笑に包まれたという。

「内的自由」が何より大事

ロシア人は、生活の知恵として、いわゆる「建て前と本音」の二つを、他のどの国民にもまして使い分ける。これは、本書の冒頭で説明したロシア人の二律背反的な性格、とくにその解決法と大いに関連している。その要旨を念のために繰り返すと、ロシア人は、自由の伸長を他のどの民族よりも欲する。他方、その衝動があまりにも強いために、そのことによって身を滅ぼしかねないのではないかと恐れる。自分の内なるこれらの二つの矛盾する衝動の解決策として、ロシア人は、自分の外的な自由を、国家、支配者、エリートに売り渡すことにした——。このような矛盾撞着、逆説を理解できぬ者は、ロシア人を理解することを永遠に諦めねばならない。

しかし、右は、必ずしも適切な説明法ではなかった。少なくとも十分意を尽くした懇切丁寧な説明ではなかった。というのも、自由を欲する者が自由を売るなんて、そんな馬鹿げたことはちょっと考えにくいことではないか。より正確には、ロシア人は、ある種の自由を確保するために別種の自由を放棄することに同意している——。私は、こう説明すべきだったろう。前者の自由とは「内的な自由」であり、後者の自由とは「外的な自由」である。

自由とは、そもそも分割しえぬ類いのものである。また、「内的な自由」と「外的な自由」とは切っても切り離せない不即不離の関係にあるものだろう。すなわち、「内的な自由」は、「外的な自由」を志向せずにはいられない。また、「外的な自由」が保障されてはじめて、「内的な自由」が真に確保される。——これは、しかしながら、いわば欧米流のもっとも至極な理屈である。しかし、もしも完全無欠の自由が必ずしも得られないとしたら、どうすればよいのか？　せめて部分的な自由で我慢せねばならなくなるではないか。そのようなとき、果たしてどのような種類の自由を選ぶか。これは、個人や民族のおかれた環境・体制にもよるが、国民的性格によって異なってくるだろう。ひじょうに荒っぽくいうと、ロシア人の場合は「内的世界」の自由を選んで、「外的世界における自由」を権力に譲りわたす。こういいえなくないだろう。

ロシア文学の主人公たち

ロシアでは時代差に関係なく、一貫してみられる特徴がひとつある。それは、文学作品にあらわれる主人公たちの多くが、俗世界における物質的幸福や外部的自由の充足ではなく、自己の内面的な世界における精神的満足をより重視する人間として描かれていることである。ドストエフスキイの小説に登場する人物の多くが、その好例である。彼らの胸中を占めているのは、決して地上での幸福や事業、いわんや政府や行政のことではない。彼らにあっては、自己の内面生活における自由、真、善、美こそが最大の関心事なのである。だからこそ、彼らはそれらの価値について果てしなき議論を展開し、他のことを一切かえりみようとしないのだ。

物質的、現世的満足ではなく精神的、内面的世界の充実こそが、人間の正しい生き方である——。このようにみなすロシア式伝統は、ソビエト時代の七〇年間でも脈々と受けつがれていた。たとえば、ウラジーミル・ドゥージンツェフは、その代表作『パンのみによるにあらず』のなかで、登場人物のひとりをしてつぎのように語らしめている。「人間というものは、二つの部分から成っているわけでしてね。そのひとつは肉体的な外被で、これは必ず死ぬもので、なにも惜しがることはありませんが、もうひとつは仕事ですよ。仕事は永遠に存在しうるのです」。

ソルジェニーツィンは、ソ連が生み落とした最大の異端作家とみなされ、ソ連政府によって国外追放処分を受けた人物だった。だが、そのような彼ですら、右にのべたロシア的価値観の伝統の外に立つ作家ではなかった。たとえば彼は『第一圏にて』の作中人物のひとりをして、つぎのように語らしめている。「突然、ムーザが言った。〞ロシア文学の主人公を西欧の小説の主人公から際だたせているものはなんだと思う？ 西欧文学の主人公たちは、いつも経歴とか名声とか金を追い求めているわ。ところが、ロシア人は、食物と飲み物なしにやっていけるのよ。——ロシア人が追い求めているのは、正義と善なのよ。そうじゃない？〟」。

ロシア人の外面(そとづら)と内面(うちづら)

要するに、ロシア社会には「公式の世界」のほかに、もうひとつの世界が存在する。「非公式の世界」である。前者が建て前の世界だとすると、後者は本音の世界である。分かりやすく単純化して説明しよう。ロシア人は、午前九時から午後五時までは、役所、企業などの職場で公人としての顔を見せて働く。これは、生活の糧を得るためのやむをえない労働なのである。このようなシチュエーションのロシア人をつかまえて、ロシア人はやれ官僚的だとか、やれ不親切だとか、やれ傲慢だとか批判しても、はじまらない。見当違いもはなはだしい。というのは、このような「公式の世界」は、たいていのロシア人にとって「虚の世界」での「虚の生活」に過ぎないのだから。

ところが午後五時、官庁、企業、デパート売り場などの「公的世界」を離れるやいなや、ロシア人たちは第二の生活をはじめる。家族、親友、心を許せる仲間たちとの「非公式の生活」である。二つの世界を象徴的に表現するならば、同一のロシア人が第一の「公式の世界」では、他人を「あなた（ヴィ）」と呼び合い、第二の「プライベートな世界」は「君（トゥイ）」と呼び合う。

彼らは、インフォーマルかつプライベートな生活で内面的自由を回復し、本音を語り合い、連帯と相互扶助の精神を発揮する。まるで昼間のオフィスでのぶっきら棒なロシア人とは別人のような人間味あふれる本性を表わす。大概のロシア人にとって、このような小サークルの私生活こそが、言葉の本当の意味での〝ジーズニ〟（ロシア語で「生活」、「生命」、「人生」を意味する）なのだ。このインフォーマル世界で、個人としての高邁な規範にのっとりふるまうことを通じて、ロシア人たちは己の尊厳を取り戻す。

つまり、「インフォーマルな世界」でロシア人は、打って変わったように生地の人間性をしめす。イデオロギー、思想、道徳、エチケットなどの七面倒くさい規則から解放され、手足をのびのびと伸ばし、勝手気ままにふるまう。部屋が少々汚くてもよい。冷蔵庫にソーセージ一片しか残っていなくてもよい。バスの運転手と言い争っても気にしない。大切なのは、なにものによっても束縛されないこと。この貴重な瞬間のためにこそ、「フォーマルな世界」での生計の資を得るための辛い勤務、その他の不便を耐え忍んでいるのだ。

なかでも、心の通いあうごくわずかな友人との談笑は最高だ。なぜならば、友人は、彼らが選ぶことのできる唯一のものだからである。ロシア人は、本心をうちあけ、一〇〇パーセントかかわりあえる友達を求める。それは、中国人の「友人」、「友好」と似かよった考えといえなくもない。ヨーロッパ型の交友関係とも近い。簡単にすぐ知り合いになる代わりに、概して深まることのないアメリカ人の表面的な交友観とは、対照的である。ともあれ、親しい友人同士の語らいと飲み食いは、ロシア人にとって、㊣の生活における偽善や窮屈からの唯一の逃避場であり、人間性回復の貴重な場なのである。

このときのロシア人は、昼間の官僚的で無愛想なロシア人と果たして同一人物なのか――こう疑わせるほど人懐っこく、他人を思いやり、真・善・美の価値を重んずる存在へと変貌をとげるのだ。このような体験をする日本人旅行者は、世の中には二種類のロシア人が存在するのではないかとの疑問を抱く。しかし、同一ロシア人のなかにこれら二つの側面が同時存在している。これが、正解なのである。

「ファミリー」の形成

以上のようにのべたからといって、ロシアでは被治者大衆のみが公式、非公式の二重生活を送っているかのように誤解してはならない。支配階級のエリートたちも、ロシア人である。彼らもまた、身内のごく狭いサークルのみを信用して、統治し、暮らしている。その典型例は、ボリス・エリツィン元ロシア大統領だったろう。彼は、いわゆる「エリツィン・ファミリー」と呼ばれるひと握りの人々に囲まれ、とりわけ政権末期には彼らの忠告や進言のみによってロシアを統治していた。たとえば、次女のタチァナ・ディアチェンコ。彼女のボーイフレンドで、後に彼女と結婚するウレンチン・ユマシェフ（『アガニョーク（灯）』誌編集長、兼エリツィン大統領の回想録のゴースト・ライター）、政商ボリス・ベレゾフスキイ。ちなみに、プーチンがエリツィンの後継者に選ばれたのも、ベレゾフスキイの強い推薦があったからだという。

〈他人を容易に信用してはならぬ〉。このことを処世訓とする、KGB出身のロシア指導者、プーチンもインフォーマルなサークルをもっている。ニコライ・パトルシェフ（安全保障会議事務局長）をはじめとして、彼らのそのほとんどは元KGBの仲間である。彼らに加えて、現在「プーチンの金庫番」の役割を果たしている、プーチンのサンクト・ペテルブルク時代以来の幼なじみ、柔道仲間たち、いわゆる「プーチンのお友達」（マリア・モクロウソーワ、故マーシャル・ゴードルドマン・ハーバード大学ロシア研究所副所長）と呼ばれている、かぎられた数の人々である。

プーチンは、人間を「敵」か「味方」の二種類に分けるKGB員独特の人生観の持ち主である。実際、プーチンは、人間を「インサイダー（内部者）」と「アウトサイダー（部外者）」に分ける。日常生活でも「われわれ側（スボイ）」と「他所者（チュジイエ）」に峻別する（アリョーナ・レーデネバ、英ユニバーシティー・カレッジ教授）。前者グループのみを信用して情報や富を共有する一方で、後者グループには決して心を許そうとしない。

見せかけのテクニック

繰り返すようだが、ロシア人とて、自由の一部、「外的な自由」を心からすすんで支配者に売りわたすわけではない。支配者側も被治者から、できるだけ多くの自由、すなわち「内的自由」すら奪い去ろうと試みる。結果として、少しでも多くの自由を獲得しようとする両者間で虚々実々の闘いが展開される。

そこで、被治者側が用いるテクニックとして「ポカザーチ（見せかける）」才能が編み出されることになった。外見的にはさも体制に順応、同調している「かのように」見せかけて、その実、内心では決して自分の信念を曲げないという使い分けのテクニックである。「擬装」と翻訳してもよいロシア語である。もちろん、「ポカザーチ」のやり方は、ロシア人だけが工夫して編み出した専売特許の手法なのではない。偽善、欺瞞、擬装は、すべての人間に共通するジェスチャーであり、戦術だろう。とはいえ、名ルポルタージュ『ロシア』の著者であるロバート・カイザーによれば、英語のプライバシーに相当する言葉がロシア語にないように、ちょうど「ポカザーチ」に当たる英語は存在しない。まったくロシア的な表現である。「ポカザーチ」は、ロシア人の生活の中心的要素をなしており、その重要な社会的風土の一部を形成している。

藤村信氏の『プラハの春　モスクワの冬』によると、一九六八年の自由化がソ連軍の戦車によってものの無惨に蹂躙（じゅうりん）された後、チェコスロバキアの知識人は「かのように」生きることを学び、実践せねばならなくなった。こう氏に洩らしたという。「われわれはこれからはかのように生きていかなければならないでしょう。占領などなかったかのように、プラハの春はなかったかのように」。ところが、「かのように」生きることにかんしては、ロシア人のほうがチェコスロバキア人たちよりもはるかに先輩だったといえよう。これは、ロシア人たちがとっくの昔から実行してきている生活の知恵だからである。

ロシア人の伝統的な生活の知恵である見せかけや使い分けの実態を理解しない者は、現ロシアの政治体制がロシア国民にあたえている圧力の実態を過大評価しがちである。たとえば欧米諸国の個人主義的思考の持ち主たちは、ソビエト型「共産主義」やプーチン式準権威主義・体制を、ナチ・ドイツとならぶ「魂にたいして犯される暴力」、もしくは全体主義支配とみなさんばかりに大騒ぎする。たしかにそのような見方は、ある程度まで当たっているだろう。旧ソ連、そして現プーチン下のロシアでは、三権分立、地方自治、基本的人権を含む、ほとんどすべての人間の活動や生活分野が国家権力に独占されたり、その厳重なる管理体制下に運営されたりしているからである。しかし実態はといえば、家庭、口コミ、連帯、サボタージュ……等の擬装、防衛メカニズムを駆使することによって、ソビエト期でもロシア市民たちは、西側のわれわれが容易に想像するほどの不自由な圧制下で必ずしも呻吟していたわけではなかった。彼らは外部からの圧倒的な力にたいし「内的な自由」の世界への「内部亡命」をとげ、そこで気ままな自由を楽しむという知恵の持ち主でもあるからだ。

ソ連からの亡命者のひとりレオニード・ウラジーミロフの著書『ロシア人』（一九六八年）は、右に紹介したような表面上の同調の保護色だけをみてロシア人の本質を決して見誤ってはならぬと、つぎのように忠告した。「ロシア人の基本的性格については、安易な当て推量を急いではならない。服装の画一性とか、行動の画一性とかは、保護色の一形態に過ぎないからである。彼は利口であるから、わざわざ他人の注目をひくような真似はしない。しかし、心の中では一九世紀のロシア文学に出てくる激しい情熱と抑圧されない感情をもった群像と、彼は同じ生きものなのである」。

ファウスト的取引

これまで本書で延々とのべてきたこととの要約を兼ねて、私は本書の末尾を借りて以下の二つの点を強調したく思う。

一つは、ロシアの治者と被治者とのあいだに存在する一種の社会契約の特殊性、そしてその契約内容の変遷についてである。社会契約（論）は、周知のごとく、元来はホッブス、ロック、ルソーら英仏の思想家たちによって唱えられた理論である。統治者がになう政治権力の正統性は、社会の構成員である人民たちが自由平等の立場や資格で合意した契約にもとづいている。したがって、もし治者がこの合意に違反する場合には、被治者側には契約を撤回したり、変更したりする権利が認められる。ジャン＝ジャック・ルソーの著書『社会契約論』は、人民が「一般意志」の担い手なのであり、私的利益を追求しようとする統治者の「特殊意志」を牽制し、是正しようとさえする試み、すなわち革命行為すら正当化した。

ところがロシアでは、右のように欧米諸国で説かれたような必ずしも厳密な意味とはかぎらない、いわばロシア版社会契約論が、事実上まかり通っていた。すなわち、治者は、広大無辺の領土を内外の敵から守り、秩序と安定を確保する。それと引き換えの形で、被治者は己の自由や権利がいかに制限されようとも不平不満を一切のべることなく、おとなしく治者の権利に従わねばならない。つまり、被治者側には、反抗の権利は認められない。要するに、ロシア版の社会契約論は、「強い主人」によるほとんど無制限に近い専制政治を正当化するために編み出された治者側に圧倒的に有利で、被治者側に不利な代物だった。

プーチノクラシーを例にとると、プーチンはゴルバチョフ、エリツィンという二代つづいた「動乱（スムータ）」期のカオスと経済的困窮を収拾して、ロシア社会に規律、秩序、安定、そしてある程度の物質的繁栄すらもたらした。その代償として、ロシア国民は地方自治、三権分立、言論、報道、出版の自由など民主主義の諸原則が多少侵犯されようとも、我慢し辛抱せねばならない。ましてや、政治に介入したり、発言権を行使してはならない。「レジューム・チェンジ」（政権交代）の要求など、論外である。単純化していうと、このような「プーチン式社会契約」が成立していた。シェフツォーワによって〝ファウスト的取引〟と名づけられる「黙約」である。〝ファウスト的取引〟とは、ゲーテの名作『ファウスト』の主人公である謹厳実直なファウスト博士が、みずからの青春を取り戻すために悪魔とのあいだで結んだ契約を指す。

ところが、リーマン・ショックに端を発した二〇〇八～〇九年の世界同時不況、そして二〇一四年七月以降の国際的な原油価格の急落によって、ロシアは深刻な経済危機に直面した。結果として、ロシア国民の多くは最低水準の物質的生活すらままならぬ困窮生活へ追い込まれるようになった。これでは、約束が違う。統治者が被治者大衆にたいしてあたえるべきものをあたえないのならば、被治者はなぜ民主主義諸原則を制限するプーチン流権威主義体制に我慢せねばならないのか。これは、両者間の「非公式契約」にたいする重大な違反行為ではないか。おとなしいことで定評のあるロシア国民ですら、このような事態の展開にたいして不満の念を抱くようになった。

ロシア人とて立ち上がる

たしかにロシア国民大衆の多くは、非政治的な存在であり、事実、政治的な変革を求めて立ち上がろうとはしない。だが他方、彼らにとり物質的生活の維持こそは最大の関心事である。彼らは、己の最低限度の物質的生活が保障されなくなるときには、日頃おとなしい彼らも背に腹は代えられず立ち上がる。ロシア史はそのような例にこと欠かない。たとえば、一九一七年の二月革命も「パンをよこせ！」の叫びから発生した。

プーチン政権期の例をとっても、このことが分かる。たとえば二〇〇五年にプーチン政権は、社会保障関連の諸特典（たとえば住宅、光熱、公共交通機関の乗車、医療などの費用）を、従来の現物支給制から各人が現金で支払う新方式へと切り替えた。このような特典現金化改革は、ロシアが社会主義から市場経済へと移行しようするにあたって、どうしても必要不可欠な転換だった。ところが、約三〇〇〇万人にものぼるロシアの受益者層、とりわけ年金生活者、退役軍人、障害者、学生たちは、改革をそのような意図や必要にもとづくものと受け取らなかった。同改正によって、己がこれまで受け取ってきた諸特権は事実上、目減りするに違いない。彼らの多くはこのように懸念し、活発な抗議行動を展開して、プーチン政権を震撼させた。

また、二〇〇八年末から〇九年春にかけて、ロシア極東、その他の地域で街頭デモが発生した。というのも、プーチン政権はロシアで自動車製造に携わっている業者や労働者たちを保護せねばならないとの名目で、日本を含む諸外国からの中古車の輸入関税率を八〇％も引き上げたからだった。ロシア極東（とくに沿海地方、ハバロフスク地方、サハリン州）には、中古車輸入関連ビジネスで生計を立てている者が数多くいる。たとえば沿海州のウラジオストクでは、約二万一五〇〇人。彼らに、水夫、港湾労働者、ディーラー、ロシア本土への運び屋など、関連業種に就労している者などまでも加えると、その数は約一五万〜二〇万人にものぼる。すなわち、ウラジオストク全人口（五七万八〇〇〇人）の四、五人に一人に当たる。

もし右ハンドル車の輸入関税が引き上げられると日本製中古車の輸入で生活を立てている者はたちまちお手上げになってしまう。彼らは新しい規制を逃れる術として、日本からの輸入車を真っ二つに切断して「部品」との名目で税関を通過させ、入管検査終了後に再び一台に結合するという姑息な手段にすら訴えた。彼らは、関税引き上げ政策に反対する集会やデモを組織し、極東の約三〇もの都市で抗議運動を繰り広げた。たとえばウラジオストクでの集会には約一〇〇〇人もが参加し、デモ隊が掲げたプラカードのなかにはプーチン首相（当時）を名指しで批判するつぎのような言葉さえ含まれていた。「われわれには国産品を押しつけながら、プーチン自身はなぜベンツに乗っているのか」。

プーチン、財閥、労働者の結託

私が第二に強調したいことがある。それは、治者と被治者とのあいだにしばしばみられる結託現象である。言い換えるならば、ロシアでは指導者と国民大衆が共犯者関係に立つことが、決して稀ではない。国民心理を読むことにかけては天才的とさえ評してよいプーチンにあっては、この関係をつくることにことのほか秀でている。プーチン期におけるそのような結託の実例を、一、二、しめそう。

二〇〇八～〇九年の経済危機の煽り(あお)を食って、オリガルヒのひとり、オレグ・デリパスカが経営するピカリョボ(サンクト・ペテルブルク近くの地域)工場が操業停止へと追い込まれた。デリパスカCEO(最高経営責任者)が、賃金不払いやレイオフを宣言したところ、ピカリョボ工場の労働者たちは猛然と抗議に立ち上がり、サンクト・ペテルブルクとピカリョボとのあいだの高速道路を封鎖するという非常手段に訴えた。深刻な事態に驚かされたプーチン首相(当時)は、二〇〇九年六月四日、ヘリコプターでピカリョボ工場の敷地内に降り立ち、公開集会の席上でデリパスカを含む経営陣を叱責し、挙げ句の果てにはデリパスカに向かいペンを投げつけ、己の工場の従業員にたいし操業再開や賃金の支払いを確約する誓約書に署名するように命じた。

右のようなプーチンのパフォーマンスは、案の定、テレビを通じてロシア全国に放送され、ロシア国民の拍手喝采を浴びた。「デリパスカはわれわれの敵ナンバー・ワン、プーチンはわれわれの英雄」、「われわれはプーチンのような強い人間を必要としている」——これが、ピカリョボのみならず、ロシア国民一般の反応だった。改めて説明するまでもなく、右のパフォーマンスは、ロシア政治の伝統的な統治手段、ないし危機管理の常套的な手法である。すなわち、慈悲深い帝政君主（ツァー）が悪い代官（ボヤーレ）を懲らしめて、被治者たちの歓心を確保するというやり方である。

いや、ピカリョボでの公開集会にかんしては、さらに穿（うが）った解釈すら可能だった。実は労働者、デリパスカ、プーチンの三者が共謀して打った大芝居との見方である。すなわち、デリパスカではなく、あくまでも労働者が中央政府に嘆願する形式をとる。そうすることによって、政府がデリパスカ傘下の企業あての公的資金支給を正当化し容易にする。このことを最初から狙った「ゲーム」、もしくは「お芝居」に過ぎなかった——。このような見方である。

実際、デリパスカは、折からロシア政府へ申請中だった融資額、四五億ドルの満額回答を一週間後に受け取った。回答をあたえたのは、「対外経済銀行」だった。ちなみに、国営の「対外経済銀行」の監査役議長は、プーチン首相その人に他ならない。要するに、プーチン政権下にあっては、労働者、オリガルヒ、政治指導者の三者が互いにつるんでおり、共犯者関係にあるのだ。

プーチンと国民は共犯者

治者と被治者は、ふつう互いに利害が対立する関係である――。大雑把(おおざっぱ)にはこうとらえて、少しもおかしくないだろう。治者は被治者にあたえるものを少なくしようと試み、かつ被治者からの支持を確保しようと欲する。逆もまた真なり。被治者は治者に差し出すものを少なくして、かつ多くのものを手に入れようともくろむ。とりわけ経済関係ではほとんどゼロ・サム・ゲームの関係とさえ評しえよう。治者は被治者からの納税を多くし、逆に彼らにあたえるものを少なくしようと欲する。ところが、プーチノクラシーにあっては、プーチンの巧みな人心操縦術も作用して、治者と被治者とのあいだでは奇妙な結託関係が成立している。その結果、とりわけ経済と外交の二分野間で奇妙なトレード・オフ（取引）が成立している。説明しよう。

本書でこれまで何度も説明しているように、ロシア国民は二〇一四年以来、経済上の〝三重苦〟に呻吟している。何と国民の八三％が経済的困窮を訴えている。ところが何とも不思議なことに、ロシア国民によるプーチン大統領の支持率も八三％なのである。通常の国ならば、このようなことはおよそ起こりうるはずはない。なぜならば、己の経済状態が悪いと、国民がまず批判の矛先を向けるのは、決まって指導者となるはずだからである。すなわち、指導者の経済、その他の諸政策が間違っているからこそ、己の生活が苦しいのだと主張する。ところが、プーチン下のロシアでは異なる。プーチン大統領による以下に説くようなすり替えの論理が見事説得力をもつかのように国民によって受け入れられているからだ。

プーチン大統領は、説明する。たしかに、ロシア経済が困難に見舞われていることは、紛れもない事実といえよう。だが、その原因はロシア側にあるのではなく、ひとえに米国などの陰謀にもとづく。とりわけ、米国による「陰謀」の結果である。現米国政府は、ロシアを外敵ナンバー・ワンとみなしている。ロシアは、米国の「単独一極主義」的傾向にたいして真正面から異議を申し立て、実際それにたいして果敢に闘っている。そのような憎き存在、ロシアの力を弱めようとして、米国はさまざまな手段や措置を講じている。ロシアをG8から追放したのを皮切りに、数々の制裁を科しつづけている。二〇一四年七月以降は、国際的な原油価格を人工的に操作し、急落させる「陰謀」もはじめた。

プーチン政権は、説く。右のような米国主導の不当な圧力をものともせず、プーチン政権はロシアやその同盟国のために、ウクライナ、シリア、その他の中東諸国で活発な国際的活動に従事し、ロシアの発言権や存在感を増大させることに成功しつつある。たとえば、ウクライナで「ミンスクI」、「ミンスクII」といった和平工作を主導しているのは、米国でなくロシアに他ならない。また、シリア内戦の停戦協議（カザフスタンの首都アスタナでおこなっているために、「アスタナ・プロセス」と呼ばれる）で、「緊張緩和地帯」の設置に合意し、停戦を保障しようとしているのも、トルコ、イランを語ってのロシアのイニシアティブに他ならない。

ここでの文脈でとくに重要なことは、このようなプーチン政権の派手な対外的デモンストレーションの様子が逐一、ロシア人家庭の茶の間に届けられることである。ロシアの三大テレビはすべて国営化されており、それらは政権の厳重な検閲下に編集されて、ロシア軍がウクライナ東部においてもシリア全土においても勝利につぐ勝利を収めていると、朝から晩まで報道しつづけているのだ。ちょうど、日露戦争時に同じく厳しい報道管制下におかれていた日本国民が旅順や二〇三高地での日本陸軍の苦戦ぶりをまったく知りえなかったように……。ともあれ、このようにして、ロシア国民は空腹に耐えつつも国営テレビを通じて外国軍にたいする勝利を疑似体験することによって満足感を味わっているのだ。

以上のべたことの結論として、私がのべたいのは、つぎのことである。プーチン大統領が採っている強硬なロシアの対外的行動様式――それには、国際法違反の疑いがかけられる――にたいしても、ロシア国民は少なくとも表立って反対していない。ウクライナの併合にたいしては、拍手喝采すら叫んだ。その意味で、ロシア国民こそは、プーチン大統領の立派な共犯者とみなさねばならない。プーチン大統領とロシア国民――。両者がロシア式メンタリティーの持ち主である以上、当然至極といえる結論だろう。

おわりに
——人間学的アプローチを超えて——

チャーチルの名言「ソ連の行動は、謎のなかの謎に包まれた謎」を再三引用するまでもなく、私が本書で取り扱った対象は、地上でもっとも不可解な国のひとつ、ロシアだった。

私は、この扱いにくい対象にわが国ではまだ誰も一貫して試みていない、広義での「文化的」アプローチによって接近しようと試みた。ロシアや国際社会でロシア人は一体どのような行動様式をとるのか——この問いに支えられたアプローチだった。ロシアの政策を見るさい、つねにロシア人を座標軸の中心にすえるという意味で、「人間学的」アプローチと言い換えてもよい。

もとより複雑多岐な相貌を持ち、たえず変動につぐ変動を遂げてきたロシアを、ただひとつの方法論で単純明快に斬り込み、分析しうるはずはない。したがって、私自身も本書で、その他の視点やアプローチを意識的、無意識的に同時的に併用したことは、たしかである。

それは必要、かつ当然のことでもあった。とはいえ、他のロシアを論じた書物にくらべると、私が本書で右に記したような「人間学的」アプローチを比較的一貫させたことは、確かだろう。そのような私の方法論が正しかったかどうか、またそのような方法が十分な程度に成功を収めえたかどうか。これは、もとより、ひとえに読者の判断にゆだねられる。著者の私としては、最後に、このような「文化的」ないし「人間学的」手法にひそむ欠陥や制約を二、三点指摘して、本書の締めくくりとしたい。今後の参考に資するためにである。

時間的な変化に注目

まず、人間中心の方法論は、時間的変化の説明が十分でないという欠点をもつ。人間の性格や慣習は、本書においても強調したように、容易には変わらない性質のものである。したがって、国民性のコンセプトを重視する者は、知らず知らずのうちに決定論的、運命論的な見解をとる弊害に陥りやすい。「ロシア人は、気が長い国民だから……」、「もともとロシアは、官僚的な体質の国だから……」といった具合に、そのとき運よく（？）頭にひらめいたロシア人の国民的性格にかんするステレオタイプ化された単純な一般論で、万事説明してこと足れりとしがちである。

ちなみにロシアの諺を引用して説明しがちな手法も、同様に安易な方法と批判せねばならない。日本の諺にも「虎穴に入らずんば虎児をえず」と「石橋を叩いて渡れ」という、ちょうど正反対の諺や格言があるように、ロシアの諺にも正反対のものがある。たとえば、「ロシア人はなにかさせようと思えば、彼らを打つにかぎる」といった〝力〟万能の諺がある一方で、「愛を強制することはできぬ」といった〝力〟の限界を説く言葉も同時にみつけることができる。

体制の差も重要

歴史的変化を軽視しがちといえば、本書で私が強調したような見解は、旧ソビエト政府と反体制知識人の両陣営から、ともに攻撃を浴びがちな誠に損な（？）立場といわねばならぬ。ソビエト政府の立場は、一九一七年の革命以来、歴史上未曾有の大変化が起こったというものだから、私のように帝政期、ソビエト期、現プーチン期のあいだの共通面や連続性を重視する見解は、容易に批判の対象になろう。

それでは、私のような見解は、反体制的知識人たちによって共感をもって迎えられるかといえば、さにあらず。私は、つぎのように考えるからである。現プーチン体制は、帝政ロシアやソビエト・ロシアと、たんに連続しているばかりではない。時としてはツァーリズムがすでにもっていたものやソビエト政権の経験によって助けられ、強化されたとすら考える。ところが、反体制的知識人たちは、これら三つの体制に根本的な差異や非連続性があることをことさら強調しようとする。彼らは、たとえばつぎのように説く。ロシアは良い時代だった。ソビエト時代になってから万事が悪くなった。マルクス主義イデオロギーが純朴なロシア精神を堕落させた。だからソビエト・イデオロギー体制を粉砕・除去さえするならば、ロシアは容易に生まれかわる、と。

国民のなかの断層にも留意

また、「国民的性格」という概念がきわめてとらえどころのない、あいまい模糊とした概念であるために、学問的な精密な議論になじまないという欠陥も、指摘されるだろう。当然である。とくにプーチン下の現代ロシアは、複雑かつハイブリッドな社会である。しかも、その構成員は、ヘテロジーニアス（異質）なグループから成り立っている。一例をあげるにとどめるが、同じロシア人といってもモスクワ、サンクト・ペテルブルクなどの大都会に住む知識人や中産階層と、地方に住む年金生活者たちとのあいだでのさまざまな格差は実に大きいだろう。それにもまして、ソ連期にはエリート（選良）と大衆とのギャップは実に大きい。

会田雄次の『アーロン収容所』（一九六二年）などによると、イギリス社会においてはエリートと大衆とは体格からして異なり、さながら二種類のイギリス人がいるかのごとくだったという。現ロシアにおいても、イギリスとはやや異なった意味において、二種類のロシア人が存在する。――こういってよいほど、エリートと大衆はその人生観、行動様式、その他できわだった対照をしめす。また、ロシア連邦は、一二〇〜一五〇の民族からなる多民族国家である。各民族は、それぞれ独特の特殊な文化パターンに従って生活を営んでいる。果たして彼らを「ロシア人」という一語にひっくくって一般論を展開してよいものなのか。

偏見の束としての人間のレンズを通して

「人間学的」アプローチには、人間が人間を取り扱うむずかしさもつきまとう。研究の主体も研究の対象も、ともに人間だからである。研究主体自身が、特定の文化の影響や束縛から逃れえない文化的な存在である。当然、偏見や歪みをもつ。たとえば「アメリカの食事がうまいか、まずいか」といった一般論は、ナンセンスといえるだろう。というのも、答えは各人が本国でふだん一体なにを食べているか、そして米国でどのレベルのレストランで食事するか。このことによって大いに異なってくるからだ。

同様に、ロシアやロシア人を見る主体の国籍、教育、知識、情報、経験……等が、客体を正確にとらえることを妨げる。文学者ならば、そのような主観のうえに開き直ってしまい、己の主観をおし通すことが可能かもしれない。しかし、いやしくも客観的な一般論をめざす社会科学者にとっては、問題はそう簡単ではない。たえず観察者たる己を制約しているすべての要件を考慮に入れつつ、少しでも公正な判断へと近づく努力を試みつづけねばならない。言うは易くおこなうに難いことである。

以上の諸制約の存在にもかかわらず、これらの欠陥や困難は、「文化的」ないし「人間学的」アプローチを試みる価値そのものを減ずるものとはならない。とくにわが国のロシア研究を振り返ってみると、あまりに細分化された分野に没頭するあまり、他のアプローチや分野にたいする非寛容性が目立つ。ある者は、歴史的事実の確認のみに全エネルギーを注ぎ、ある者は正確無比の訳文を競い合うことのみに血道をあげ、ある者は天をも恐れぬ大胆な印象批評を書きまくっている。彼らのあいだでの一種の閉鎖性を破る必要を痛感して、浅学をかえりみず書きおろしてみたのが、本書である。意のあるところをくみ取って、後により本格的な研究書がつづくキッカケとして役立ちさえすれば、私の野心はすべて達成されるだろう。

謝辞

本書は、一九八〇年に出版した私の処女作『ソ連とロシア人』を、改訂版といえないくらい大幅に修正し、加筆したものである。その経緯を、まず記す。

私は、大学院へ進学して以来、ソ連研究に従事していたが、短期旅行を除くと、研究対象であるソ連邦に一度も長期滞在する経験に恵まれなかった。そのために、インフェリオリティ・コンプレックスを抱くというよりも、本人自身が欲求不満で悶々としていた。当時の日本とソ連のあいだには留学生・研究者交流のプログラムがなく、わずかに共産党や労働組合の関係者の子弟たち、もしくは外務省のロシア語研修生の数名のみがモスクワ大学などの学術・教育機関への留学が可能だったからである。

ところが一九六〇年代になると、幸いなことに日本外務省が、将来モスクワに支店を開設する予定の日本輸出入銀行（現在の国際協力銀行、ＪＢＩＣ）や東京銀行の若手を在ソ連日本大使館付にしてくれる調査員の制度をはじめた。そのことを知った恩師の猪木正道先生の推薦で、私は一九七三〜七五年の丸二年間、モスクワに滞在しえた。私はその間、一五のソ連構成共和国すべてを訪問することができた。

当時のソ連は、鉄のカーテンの向こうの国だった。そのことも作用して、モスクワで勤務した内外のマスメディア特派員たちは、帰国後こぞってソ連滞在記を出版する習わしがあった。ごく一例をあげるだけでも、『毎日新聞』の平野裕『赤きソ連の大地』（一九七六年）、『中日新聞』の高橋正『ソビエト・ライフ』（一九七六年）、『朝日新聞』特派員夫人の杉田志津子『グルジンスキー横丁三番地』（一九七八年）、『NHK』の吉成大志『新モスクワ事情』（一九七九年）、『読売新聞』の鈴木康雄『ソビエト社会と大衆生活』（一九七九年）……等々である。米国では、『ニューヨーク・タイムズ』の元モスクワ特派員のヘドリック・スミス『ロシア人』（一九七六年）、『ワシントン・ポスト』の同じく特派員、ロバート・カイザー『ロシア』（一九七六年）。この二冊が米国から届き、一読したときのショックは、ちょっと言葉に言い表わしえない。自分とほぼ同じ頃モスクワに滞在しながら、彼らの目のつけどころはかくも素晴らしく、その活動範囲はかくも広く、その洞察はかくも深く鋭いのか。私はため息をつき、自分の非力に絶望した。以後、ちょっとしたロシア体験談を語るよう依頼されるたびごとに、私は己の貧しい見聞をこの両書で補って、責任を果たすことが多かった。ところが、まもなく両書ともに邦訳されるに及んで、私の種本はバレてしまった。幸いちょうど時を同じくして、私の体験談にたいする需要も都合よく少なくなった。

その後、私は勤務先でなれない管理職の真似事をつとめていた。すると、一九七九年末のソ連軍のアフガニスタン侵攻など一連の事件を惹き起こしたブレジネフ政権が、政権末期のあがきを顕著に現わすようになった。たとえば、レポ船の摘発、日本防衛庁スパイ事件、アンドレイ・サハロフ博士のゴーリキイ市への国内追放、西側諸国によるモスクワ夏季五輪ボイコット……等々である。日本のマスメディアは、こぞって〝ソ連もの〟を特集し、一種の〝ソ連ブーム〟が巻き起こった。志水速雄『日本人はなぜソ連が嫌いか』(一九七九年)、熊田全宏『クレムリンの挑戦』(一九八〇年)、磯田定章『拝啓ソビエト皇帝陛下』(一九八〇年)などが、相次いで刊行された。

右に列記した友人、知人から贈呈本を受けたり、その書評を依頼されたりしているうちに、私にも何か書くことがあるのではないか——このような思いが心中深く生まれたように思う。そのような気持ちをまるで見すかしたかのように、蒼洋社から出版の依頼がなされたのである。推薦者は、同出版社から『新モスクワ事情』を刊行済みのNHK元モスクワ特派員の吉成大志氏だった。

五月の連休を返上して一気に書き上げた私の処女作は、上々の滑べり出しをしめしたかのようにみえた。札幌JR駅構内にある弘栄堂書店に掲示されたベストセラー・ランキング表で第六位であることを、私自身が目にしたからである。ところが誠に運が悪いことに、直後に版元が倒産する憂き目に出遭った。何でも大型全集の企画に成功しなかったとのこと。何か良い話でもと思って喜び勇んで上京した私は、社長から銀座で丁重な御接待を受けたあと、その悲報を告げられた。社長のせめてもの詫びの儀式だったのだろう。

それから三七年の歳月が流れ、ソ連邦も解体し、『ソ連とロシア人』の書名それ自体がまったくの時代遅れとなった。私自身も「悪い夢を見た」と、この処女作のことをすっかり忘れていた。私の手元にもそのコピーは文字通りただの一部しか残っていない。ごく稀に、モスクワ帰りの日本の特派員の方が「現在でも結構通するいい本ですね」と言ってくれることもあるが、それはまったくのお世辞に違いない。

ところが、である。プーチンの政治、経済、政策、その他を観察していて、ひとつ気づかざるをえないことがあった。それは一言でいうと、ソビエト期、いや帝政ロシア（ツァーリズム）へ〝先祖返り〟していることが多い諸事実である。もちろん、全面的な復帰ではない。とはいえ、プーチノクラシーには少なくとも部分的にそのような側面が否定しえないのだ。

もしそうだとしたら、その理由は大別して二つあるだろう。ひとつは、プーチン大統領の信念や思想がそうさせるのである。プーチンは、大統領就任の直前に発表した論文『世紀の境目にあるロシア』ですでに強調している。ロシアは決して欧米流の発展モデルを猿真似する気はない、と。言葉を換えて大胆にその意をくむならば、ロシア土着の地理、民族、言語、宗教、文化……等々、独自の伝統や価値に従った国造りをおこなう、と。この基本的な考えは、プーチノクラシーのイデオローグであるウラジスラフ・スルコフの「主権民主主義」のコンセプトにもっともよく表わされている。また、プーチン自身がアメリカ流民主主義や米国の「単独一極主義」的外交を明確に排除したことで有名な「ミュンヘン演説」（二〇〇七年）にも表われている。

プーチンは、クレムリンに返り咲く直前の二〇一三年には、今後プーチノクラシーが依拠するイデオロギーとして「保守主義」を採用する旨、宣言した。プーチンのオフィスには、ピョートル大帝の肖像画が掲げられている。すなわち、プーチンはロシアのツァーリズムを全面的に否定しようと試みないばかりか、帝政ロシアに追慕、憧憬の念をすら抱いている。それゆえに、プーチンを「ツァー（帝政君主）」とみなす見方があり、彼自身もそのような呼称を一概に峻拒する心情には駆られていない様子である。

プーチンはソ連邦の七〇年にたいしては、さぞかし複雑な気持ちを抱いているに違いない。彼が二〇〇五年にソ連解体を「二〇世紀最大の地政学上の惨事」とのべたこと、あまりにも有名な台詞（せりふ）になった。これは、彼の本音の表明に違いない。プーチンは、「ユーラシア経済連合」なる名称で「ミニ・ソ連」の再建をめざす立場も明らかにしている。もとより、だからといって、プーチンがソビエト体制がおこなったことすべてに賛同しているわけではなかろう。

その一例として、プーチンのスターリンにたいする態度があげられよう。プーチンはスターリンを全面的に肯定も、否定もしていない。イシュー（争点）ごとの是々非々の立場をとっている様子である。おそらくソビエト体制についても、同様のことがいえるだろう。すなわち、プーチンは少なくともソビエト体制を全面的に否定することなど考えていない。

これは、前任者であるゴルバチョフ、エリツィンとくらべて、プーチンが——相対的とはいえ——異なる点だろう。ゴルバチョフは、ソ連共産党書記長兼ソ連邦大統領だった。しかし、そのような彼が実際におこなったことは、ソビエト体制を葬ることに他ならなかった。エリツィン・ロシア大統領にいたっては、政敵ゴルバチョフ以上のことをやりたいとの個人的な野心も作用して、国有財産の私有化や価格の自由化など社会主義経済の市場化を大胆に進め、地方分権化も大いに推進した。ところが、プーチンが政権就任後今日までおこなっていることは、ゴルバチョフ、エリツィン「改革」の逆転、揺り戻し作業だといいえよう。

つまり、政治分野で、プーチン与党の「統一ロシア」はかつてのソ連共産党がもっていた独裁権力にほぼ近い権力を握っている。地方分権から中央集権制への逆戻りも実現している。言論の自由をはじめとする民主主義の諸権利は、再びいちじるしく制限されるようになった。三大テレビ局はすべて国営化され、新聞・雑誌類も体制側に近いオリガルヒ（新興財閥）によって買い占められた。NGO（非政府組織）やNPO（非営利組織）は、風前の灯のような有様。経済分野では、兵器やエネルギーや産業は「重要戦略産業」とみなされ、再国営化されて厳格な管理下におかれるようになった。今日のプーチン下の経済は、ロシア型国家資本主義であるといえよう。プーチン政権は、国民の不満をそらすために、「勝利を収める小さな戦争」をチェチェン共和国、ジョージア、ウクライナ、シリア向けに敢行した。これは、帝政ロシア、ソビエト政権が訴えたこととまったく同様の手法と評さねばならない。

要するに、帝政ロシア、ソビエト統治、プーチノクラシー、これら三つのあいだには、通底するものがあるのだ。それは、ある意味で当然だろう。この三つの時期において変わったのは、「体制」のみであって、その体制を動かしているのはロシア人という同一の「人間」だからだ。

プーチンがクレムリンに再び復帰したある日のこと、私は何気なく、書庫にただ一冊だけコピーが残っていた『ソ連とロシア人』を手に取ってみた。一九八〇年に出版した処女作を懐かしむセンチメンタルな思いで数ページをぱらぱらとめくり返してみた。ソ連邦が解体し、ゴルバチョフ、エリツィン、プーチンが登場した新生ロシアで、私が約三七年前に書いたことなど、その後のソ連、ロシアの激変によって完全に時代遅れの分析になってしまった。私はそう信じ込んでいた。

ところが、一九八〇年時点で分析したことのすべてが必ずしも的はずれではない。いや、私の古い分析のほとんどの部分は、現在なお有効である――。このことを発見したときの私の複雑な心境は、想像にあまりあろう。一方で、私の研究対象であるロシアがその後あまり変化しなかった事実を再認識させられて、私は失望の念を新たにした。ところが他方、正直に告白すると、英語表現でいうところの〝pleasant surprise〟（嬉しい驚き）に近い感想も抱いた。私の旧ソ連についての研究は、まったく無駄な作業ではなかった。いや、そのほとんどは今日のプーチン・ロシアにも多かれ少なかれ当てはまるのだ。

こうした私の発見は、当然のことだったともいえよう。というのも、私のロシア研究の基本的アプローチは、人間性に注目するというユニークなものだからである。「体制」は、革命によって一夜で変わることもあろう。しかし、「人間」は必ずしも一夜によっては変わらない。むしろ、時間を経て徐々に変わってゆく類いのものだろう。ヘーゲルがのべたという至言を思い出すならば、「論理は飛躍す、されど自然は飛躍せず」。

以上のような次第で、私は旧著『ソ連とロシア人』の改訂版を出すことにした。修正作業は、手を入れはじめると際限がない悪癖をもっていることを自覚している私は、「最小限の一か月にかぎって、修正作業に従事する」との時間的制約を、みずからに課した。このように出来上がった新原稿は、幸運にも産経新聞出版から刊行される光栄に浴することになった。寛大な決断を下された瀬尾友子編集長、編集一切の労を惜しまなかった同編集部の星野俊明氏に心から感謝の気持ちを表明したい。

二〇一七年一二月

木村 汎

単行本　平成三十年一月　産経新聞出版刊

装　幀　伏見さつき
DTP　佐藤敦子
カバー写真　AA／時事通信フォト

産経NF文庫

プーチンとロシア人

二〇二〇年十月十九日　第一刷
二〇二二年六月　五日　第三刷

著　者　木村　汎

発行者　皆川豪志
発行・発売　株式会社　潮書房光人新社
〒100-8077　東京都千代田区大手町一-七-二
電話／〇三-六二八一-九八九一(代)
印刷・製本　凸版印刷株式会社
定価はカバーに表示してあります
乱丁・落丁のものはお取りかえ致します。本文は中性紙を使用
ISBN978-4-7698-7028-9　C0195
http://www.kojinsha.co.jp

産経NF文庫の既刊本

日本が戦ってくれて感謝しています2

あの戦争で日本人が尊敬された理由

井上和彦

第1次大戦、戦勝100年「マルタ」における日英同盟を序章に、読者から要望が押し寄せたインドネシア――あの戦争の大義そのものを3章にわたって収録。日本人は、なぜ熱狂的に迎えられたか。歴史認識を辿る旅の完結編。15万部突破ベストセラー文庫化第2弾。

定価〈本体820円＋税〉 ISBN978-4-7698-7002-9

日本が戦ってくれて感謝しています

アジアが賞賛する日本とあの戦争

井上和彦

インド、マレーシア、フィリピン、パラオ、台湾……日本軍は、私たちの祖先は激戦の中で何を残したか。金田一春彦氏が生前に感激して絶賛した「歴史認識」を辿る旅――涙が止まらない！感涙の声が続々と寄せられた15万部突破のベストセラーがついに文庫化。

定価〈本体860円＋税〉 ISBN978-4-7698-7001-2

産経NF文庫の既刊本

総括せよ！ さらば革命的世代
50年前、キャンパスで何があったか

産経新聞取材班

半世紀前、わが国に「革命」を訴える世代がいた。当時それは特別な人間でも特別な考え方でもなかった。にもかかわらず、彼らは、あの時代を積極的に語ろうとはしない。彼らの存在はわが国にどのような功罪を与えたのか。そもそも、「全共闘世代」とは何者か？

定価〈本体800円＋税〉 ISBN978-4-7698-7005-0

国民の神話
日本人の源流を訪ねて

産経新聞社

乱暴者だったり、色恋に夢中になったりと、実に人間味豊かな神様たちが多く登場し、躍動します。感受性豊かな祖先が築き上げた素晴らしい日本を、もっともっと好きになる一冊です。日本人であることを楽しく、誇らしく思わせてくれるもの、それが神話です！

定価〈本体820円＋税〉 ISBN978-4-7698-7004-3

国会議員に読ませたい 敗戦秘話
政治家よ！ もっと勉強してほしい

産経新聞取材班

敗戦という国家存亡の危機からの復興、そして国際社会で名誉ある地位を築くまでになったわが国――なぜ、日本は今、繁栄しているのか。国会議員が戦後の真の歴史を知らずして、この国を動かしているとしたら、日本国民としてこれほど不幸なことはない。

定価〈本体820円＋税〉 ISBN978-4-7698-7003-6